Parus dans la collection « Paroles »

Les Dimanches du conte. Déjà 5 ans, collectif
Les conteurs du Sergent recruteur
Planète rebelle, Montréal 2003

If faut prendre le taureau pas les contes !, Fred Pellerin
Planète rebelle, Montréal 2003

Raconte-moi que tu as vu l'Irlande, Mike Burns
Planète rebelle, Montréal 2003

Les jours sont contés. Portraits de conteurs,
Danielle Bérard et Christian-Marie Pons
Planète rebelle, Montréal 2002

Delirium Tremens, Jean-Marc Massie
Planète rebelle, Montréal 2002

Le bonhomme La Misère, Denis Gadoury
Planète rebelle, Montréal 2002

Terre des pigeons, Éric Gauthier
Planète rebelle, Montréal 2002

Les contes de la poule à Madame Moreau, Claudette L'Heureux
Planète rebelle, Montréal 2002

Paroles de terroir, Jacques Pasquet
Planète rebelle, Montréal 2002

Dans mon village, il y a belle lurette…, Fred Pellerin
Planète rebelle, Montréal 2001

Contes coquins pour oreilles folichonnes, Renée Robitaille
Planète rebelle, Montréal 2000

Ti-Pinge, Joujou Turenne
Planète rebelle, Montréal 2000

Ma chasse-galerie, Marc Laberge
Planète rebelle, Montréal 2000

Hold-up ! Contes du Centre-Sud, André Lemelin
Planète rebelle, Montréal 1999

Portraits en blues de travail

Collection « Paroles »

Planète rebelle
Fondée en 1997 par André Lemelin
6742, rue Saint-Denis, Montréal (Québec) H2S 2S2
Téléphone : (514) 278-7375 - Télécopieur : (514) 278-8292
Adresse électronique : info@planeterebelle.qc.ca
Site web : www.planeterebelle.qc.ca

Directeur littéraire : André Lemelin
Révision : Janou Gagnon
Correction : Marie-Claude Gagnon
Conception et illustration de la page couverture : Tanya Johnston
Mise en page : Tanya Johnston
Impression : Imprimerie Gauvin ltée

Les éditions Planète rebelle bénéficient des programmes d'aide à la publication du Conseil des Arts du Canada (CAC), de la Société de développement des entreprises culturelles du Québec (SODEC) et du « Gouvernement du Québec - Programme de crédit d'impôt pour l'édition de livres - Gestion SODEC ».

Distribution en librairie :
Diffusion Prologue, 1650, boul. Lionel-Bertrand
Boisbriand (Québec) J7H 1N7
Téléphone : (450) 434-0306 - Télécopieur : (450) 434-2627
Adresse électronique : prologue@prologue.ca
Site web : www.prologue.ca

Distribution en France :
Librairie du Québec à Paris, 30, rue Gay-Lussac, 75005 Paris
Téléphone : 01 43 54 49 02 - Télécopieur : 01 43 54 39 15
Adresse électronique : liquebec@noos.fr

Dépôt légal : 3e trimestre 2003
Bibliothèque nationale du Québec
Bibliothèque nationale du Canada
ISBN : 2-922528-39-1

PORTRAITS EN BLUES DE TRAVAIL

Planète rebelle

Table des matières

PRÉFACE

Fruits et racines ont même
commune mesure qui est l'arbre.

Saint-Exupéry

Sculpture qui parle dans le bois de son être, chêne dont les puissantes racines viennent faire éclater le béton de l'aliéné, conteur-poète qui porte sa langue autant qu'elle le porte, Jocelyn Bérubé nous convie encore une fois, pour notre plus grand plaisir, à le suivre de l'autre côté du miroir, là où la réalité dépasse la fiction.

Ce ne sont pas des rides que le temps a laissées sur son visage, mais bien des plis d'expression qui gravent sa peau parchemin, dont le tannage est le travail de souvenirs intimes qui font leur trace sur le cuir de la mémoire collective. Ses sourcils dessinent des accents circonflexes, lorsque l'émotion anime ses pattes d'oies. Il a traversé les décennies avec la plénitude de l'arbre pénétrant la terre de ses racines en même temps qu'il s'ouvre, par ses feuilles et ses fruits, à l'infini du ciel. Grâce à ce fabuleux conteur, je sais maintenant que le cheveu blanc est notre plus sûr allié, puisqu'il affiche la preuve du temps nécessaire à l'enracinement de notre identité.

À l'ère du vinyle, les plus vieux d'entre nous ont eu la chance d'user les micros sillons de sa parole, en écoutant entre autres l'indémodable *Nil en ville*. Heureusement, les plus jeunes auront maintenant le privilège d'apprécier, sur support numérique, les contes et légendes de son cru gravés enfin sur disque compact.

Avec *Portraits en blues de travail*, ce magnifique poète de la narration continue de porter son verbe en bandoulière, prêt à le lancer en éclair sur nos âmes de pierre pour ressusciter le Grand Cirque ordinaire de nos faits divers. La matière noble de son violon a toujours su réchauffer sa mâchoire afin qu'elle hurle à jamais la rage de tous les *Tuyau Grandchamp* de la terre.

Jocelyn conte sans modération. Il est la passion libérée. De l'entité déracinée de Saint-Nil, il est devenu l'identité défoulée en ville. Pourtant, il n'a jamais quitté Saint-Nil. Il est devenu à lui seul son village, déchiré entre le béton et le bois rond. À Cap-Saint-Ignace, où il s'est retrouvé une terre, lorsqu'il sort sur la galerie puis va planter des arbres sur son terrain de bord de fleuve, c'est tout Saint-Nil qui revit. On pourrait presque voir la foudre illuminer les berges du Saint-Laurent, quand on entend, sous le silence du conteur, le verbe vif de son conte *Wildor le forgeron* faire renaître, dans le feu, la source de sa vie d'homme et d'artisan.

> *– Vends, vends, pendant qu'il est encore temps ! Vends-moi ton âme, c'est le bon moment ; je vais négocier tout ça pour toi ! C'est quand on spécule qu'on fait des pécules, le vieux !*

J'ai fait les plans, je vais en faire un bel emplacement pour une future chaîne de restaurants, et pourquoi pas, dans un avenir certain, ce qu'on appellera un centre d'achat, et cetera... ra... rat!

Le pauvre Wildor était sur le point de mettre sa croix en bas du contrat quand, tout à coup, il a eu l'impression d'entendre le vieux coq rouillé du clocher lancer un soubresaut de cocorico imitant une boutade jadis entendue, dans son jeune temps: « Un jour, je te souhaite d'en faire autant! »

Le vieil artisan n'a pas baissé les bras et, de ses grosses mains cornées, a empoigné par les cornes le petit diable à l'allure visqueuse pour le lancer dans le tonneau d'eau ferreuse [...]. Wildor, l'âme en paix, décida que sa dernière œuvre était arrivée et qu'il fallait la signer.

[...]

Le soufflet s'est mis à s'étirer de nouveau et à respirer comme une âme qui renaît.

Je vous ai parlé de *Wildor le forgeron*, mais j'aurais pu aussi citer des extraits d'*Alexis le Trotteur*, du *Rocket* ou d'*Aurélien*, des fictions dans lesquelles le conteur-poète nous décrit, avec finesse, des personnages et des lieux tous plus fantasmagoriquement réalistes les uns que les autres. Conte? Poésie? Ou alors conte poétique? Il n'est pas rare de voir Bérubé se livrer sur scène à des improvisations au cours desquelles il laisse la parole spontanée le mener à la frontière du conte et du poème. Jocelyn Bérubé est, sans aucun doute, l'un de ceux qui sont allés le plus loin dans cet exercice du métissage de ces deux paroles.

Je me rappelle, un été, avoir entendu notre « homme qui plantait des arbres » me raconter comment il avait gossé un piège à marmotte afin d'attraper une fois pour toutes la bête malfaisante, ce carcajou de pacotille trouant son terrain, ravageant son territoire, son espace vital, en plus de menacer la visite qui s'attardait un peu trop autour du refuge de la bête. Une fois le mammifère piégé, Jocelyn me conta qu'il fut bien embarrassé. L'idée de l'assommer mortellement d'un bon coup de masse lui était insoutenable. Il finit par l'amener faire un tour de voiture pour finalement relâcher la bête dans la nature afin qu'elle rejoigne ses semblables. J'entends encore Jocelyn me narrer la fin à la fois tragique et comique de sa proie : « C'tu assez innocent, une marmotte. Plutôt que d'profiter du sursis que je venais d'lui donner, elle a rien trouvé d'mieux à faire que d'aller s'dorer la couenne, étendue en travers des rails du chemin de fer. Pis là, l'incroyable est arrivé. Elle, la maudite niaiseuse, a continué à s'faire bronzer sans se soucier du train qui arrivait *full pin*. Pis y s'é passé ce qui devait s'passer : le train y'a passé dessus. Bâtard, j'avais pourtant tout fait pour m'en débarrasser sans la tuer, mais faut croire que son heure était arrivée. Maudit qu'c'é innocent sans bon sens une marmotte, j'en r'viens juste pas. Maudit qu'c'é.... »

Je revois Jocelyn dans mon salon pour le combat de boxe Lucas-Beyer, ne dépareillant pas dans cette assemblée où régnait la testostérone des gérants d'estrades. À la fin du combat, le commentateur télé vint confirmer ce que nous avions tous crié à l'unisson, lorsque Markus Beyer fut déclaré vainqueur : « Ça pas d'crisse de bon sens, l'histoire du Rocket se répète ! » L'heure passait et Jocelyn était toujours aussi pompé, il n'arrivait pas à revenir à la réalité, toujours accroché au dernier round, le visage empourpré, les muscles bandés, prêt à bondir sur l'adversaire. Il réagissait comme si les juges venaient de lui faire un affront personnel. Heureusement, nous avons réussi à lui rendre sa bonne humeur en l'assurant que, si Dieu existe, Éric Lucas aurait son combat revanche, et qu'il l'emporterait haut la main, histoire de prouver au monde entier l'injustice monumentale dont l'un des nôtres avait été victime.

Jocelyn, comme tu me l'as si bien montré, je t'embrasse à la russe, fermement sur la bouche, de cette fermeté qui efface toute trace d'ambiguïté, non par gêne ou pudeur, mais bien pour que demain nous puissions encore nous perdre dans les fantasmes de tous ces gérants d'estrades qui, à défaut d'avoir un pays, continuent à rechercher l'odeur de la victoire, fût-elle incarnée par un boxeur en sueur. Enfin, quelques mots de Brel pour souhaiter longue vie à ton dernier-né en blues de travail :

Jojo voici donc quelques rires, quelques vins, quelques blondes.
J'ai plaisir à te dire que la nuit sera longue à devenir demain.

Jean-Marc Massie
Bordeaux - printemps 2003

À Estelle Lebel,
ma compagne et ma plus belle histoire.
Ma gratitude.

Photo : ©Danielle Bérard

Le conteur Jocelyn Bérubé.

Mot du raconteur

Faire un disque est une aventure que je n'ai pas vécue souvent. Le dernier disque en date remonte à l'hiver 1979-1980. Nous étions encore avec le support analogique, le produit s'appelait un « vinyle 33 tours » ; on préparait un « long-jeu », on enregistrait un microsillon et l'on sortait un « album ». J'ai décidé d'opter pour une certaine continuité et donc de sortir un autre « album ». Pour ce faire, j'ai cédé à l'aimable invitation des *Éditions Planète rebelle.* Qui dit album dit photos ou portraits...

J'ai ouvert mon tiroir, celui des histoires, plein de chemises de portraits, avec l'intention d'en choisir quelques-uns pour remplir l'album. Certains visages somnolaient, fardés d'une poussière de silence depuis plusieurs années ; d'autres, réveillés par le bruit du tiroir, ont aussitôt voulu grimper sur la pile pour montrer leur face, et me lancer : « Moi ! Moi ! ». Certains m'affectionnaient au point de vouloir me donner leur chemise au complet. J'ai répondu : « Je ne peux quand même pas prendre tout le monde, comptez-vous chanceux que je fasse un CD, car si c'était un "long-jeu", vous seriez encore moins nombreux ! » J'ai ajouté : « Je vais choisir parmi ceux qui ont fait leur classe ! » Un problème a surgi : ce sont les inclassables qui avaient de la classe et une certaine gueule ; certains s'étaient même déjà servis de la mienne pour se mettre en parole. J'ai fait un compromis : quatre portraits pour le CD et six pour le livret. J'ai demandé aux autres d'être patients ; une histoire vient en son temps ou, au plus tard, à son heure.

Les sélectionnés étaient contents de sortir de leur chemise et de changer de support pour partir se « coltailler » dans un disque compact. C'était le cas d'Alexis, qui trottait sur les planches à mes côtés depuis les fêtes du 150e anniversaire du Saguenay-Lac-Saint-Jean en 1988, et de *Wildor*, qui maniait ses outils depuis la fondation du Conseil québécois du patrimoine vivant en 1993 ; d'autres contes ont aussi leur histoire.

Comme l'album comporte un livret, vous avez deux versions du même conte ou de la même légende avec de temps en temps la « parlure » moins élaborée que l'écriture. Je me suis appliqué à construire ces histoires comme on « gosse » et ponce une pièce de bois, tâchant d'en faire ressortir des traits « d'adon » qui souligneraient les expressions d'une physionomie. Ces portraits peuvent donc être regardés sous plusieurs angles, à vous d'en choisir l'éclairage.

Comme je ne suis pas là pour vous expliquer ce que vous allez lire ou entendre, je vais me retirer et laisser les tableaux briser eux-mêmes leur mur de silence et montrer leur installation.

Explorez donc à votre guise cette galerie – sans la chasse ! – où de petites peintures de paysages et de gens réels ou inventés n'attendent que la curiosité de votre œil ou de votre oreille pour se dévoiler.

Bonne visite, et revenez quand vous voudrez !

Jocelyn Bérubé

Merci à...

Gilles Bélanger, Claude Laroche,
Simon Gauthier, Lyson Chagnon,
Pierre Flynn, Stéphane Morency, Sylain Rivière,
Jean-Marc Massie, Carole Boucher.
L'équipe de Planète rebelle,
Marie-Fleurette Beaudoin, André Lemelin,
Janou Gagnon, Tanya Johnston et Étienne Loranger.
Le Conseil des Arts du Canada.

BLUES AU BOUT DU QUAI

La neige tombait en eau
Rue Rachel sur le Plateau
Un soir d'automne 1980.
J'entre dans un bar gaspésien,
Appelé *Au bout du Quai*
Qui est maintenant disparu.
J'y rencontre un ami que j'avais perdu de vue,
On était bien contents de se revoir.

On jase, on s'raconte des histoires
Histoires anciennes,
Qu'on se resert à la moderne,
Histoires de royaumes qui n'ont pas changé
Parce qu'il y a toujours des rois qui règnent
Sur des sujets tannés qui rêvent de liberté.

Paulo, mon ami de Gaspésie, la gorge coincée
Dans la gorgée d'une autre bouteille
M'a dit qu'il se fait encore promettre monts et merveilles.
Il faut acheter tout, tout le temps
C'est-y ça qu'il faut faire
Pour triompher des géants?

Leurs régimes veillent sur la paye
Qu'on leur redonne sur la finance ;
C'est toujours l'heure d'une échéance ;
Pris dans le béton et dans le froid
On aimerait ça sortir du bois
Mais le loup est là, et surveille.

Paulo m'a dit aussi qu'il était fatigué.
Fatigué de toujours payer
De travailler pour payer
De payer pour travailler.
Qu'il prenait sa bière en espérant
Retrouver son rêve d'antan.
Mais les rêves dans les balounes
Ça part au vent.

Ce soir on n'a plus peur
Il n'y a pas d'âge, il n'y a pas d'heure
Faisons les braves, faisons les fous,
Le loup, on en viendra à bout.

Mon ami, ma vieille branche
L'heure est à se brancher.
De parler de ce qui est urgent,

À force de tuer le temps
On devient inexistant.
Avec la vie, la mort à se chamailler
C'est pas facile d'aimer.

Les histoires sont une manière
De faire vivre le temps,
De dire ce qu'on a en dedans
Aux grands comme aux petits
Dans l'espoir qu'ils soient fiers
De grandir par ici.

[En collaboration avec Claude Laroche.]

Photo : Journal *Montréal-Matin*

Devant le Forum de Montréal, le 15 mars 1955.
« Il a brassé un chiard, d'accord, pis là, il va y goûter, O.K.! »

ROCKET

Si certains parmi vous autres ont entendu parler ou lu à propos des émeutes du Forum de Montréal, celles du 15 mars 1955, ils ont probablement vu des photos de manifestants brandissant des pancartes contre le président, à l'époque, de la Ligue nationale de hockey, un certain Clarence Campbell. Il avait osé suspendre de la ligue, sous prétexte de violence exagérée sur un arbitre, celui que les journaux appelaient « l'idole du peuple », le joueur-étoile du club des « Glorieux » qui n'avait pas frette aux yeux. Le président le privait ainsi du championnat des compteurs et, l'équipe d'une coupe Stanley presque assurée.

Ce coup de cochon méritait contestation en verrat ! Certaines pancartes montraient en effet un cochon brossé à gros traits, coiffé du nom du président « sans-dessein » ; le dessin indiquait clairement l'opinion de ceux qui portaient les pancartes.

En fouillant dans ma mémoire – ou ai-je inventé la suite... ? –, je peux vous raconter ce que j'ai pu apprendre sur l'histoire de l'un de ces porteurs de pancartes. Il aurait eu comme prénom Jean-Jean, aurait été fils d'un Gaspésien surnommé Johnny, émigré, paraît-il, en ville au début du siècle dernier. Jean-Jean-à-Johnny travaillait dans l'est, aux usines Angus, comme ouvrier sur l'assemblage des locomotives de train. Le soir, il aimait bien se changer les idées, quitter le Faubourg-à-m'lasse où il collait depuis sa jeunesse, pour aller à une partie de hockey au Forum, faire un peu de train dans les gradins, comme en ce fameux soir de mars où, avant de décoller, il entendit à la radio de CKAC, en supplément de programme au « Chapelet en famille », un bout de sermon provenant de l'Archevêché. Le prêcheur sulpicien et suspicieux, invité pour le carême, disait en substance ceci :

> Mes biens chers frères (pour eux, les femmes n'existaient pas encore), ce printemps 1955 ébranle les fondements de notre société pieuse et tranquille ! C'est rendu que le Forum de Montréal est plus populaire que la Cathédrale ! Le hockey se dresse en religion profane ! Serait-ce à cause d'un certain numéro « 9 » ? Ce n'est pas parce qu'il compte des buts miraculeux qu'on peut l'invoquer pour faire briller le soleil dans les cieux ! Espérons, mes chers frères, que sa récente suspension de la Ligue nationale ne sera pas une graine fomenteuse de subversion ! Et parlant de graine, je vous laisse méditer cette parabole tirée du célèbre sermon du père Vimont, prononcé en 1642 lors de la messe célébrant la fondation de Montréal : *Voyez ce grain de sénevé ; ce grain de moutarde est la plus petite de toutes les semences, mais l'arbre qui en naîtra recouvrira le pays tout entier de son ombre ! Allez, mes agneaux, multipliez-vous, et souvenez-vous qu'un peuple n'est grand qu'à genoux ! In nomine Patris, et Filii, et...*

Jean-Jean lui ferma la boîte en éteignant la radio, car ces paroles l'avaient mis en beau fusil ! Il retourna dans sa chambre et se bricola une pancarte : il y dessina du mieux qu'il put un cochon ; il marqua en grosses lettres : « Campbell », et partit vers l'ouest pour le Forum y défouler sa colère.

Mais à peine passé la rue Wolfe, le voilà-t-y pas suivi par une bande d'enfants qui se mettent à scander « Campbell Pea Soup ! » (à cause de la soupe Campbell qu'ils mangeaient de temps en temps en grimaçant). Jean-Jean, sentant la soupe chaude et pensant que ça risquait plus loin de virer au vinaigre, s'est dit qu'il devait convaincre les enfants de rebrousser chemin. Il leur dit : « Wô ! les flows ! Ce Campbell-là, c'est pas de la soupe aux pois, même s'il est dans l'eau bouillante ! Il s'est mis les pieds dans les plats, c'est vrai ; il a brassé un chiard, d'accord, pis là, il va y goûter, O.K. ! Mais vous autres, les poids-plumes, il faut rentrer retrouver vos oreillers ; la petite noirceur est tombée dans le quartier ! »

Comme les jeunes ne l'écoutaient pas, parler de pois lui a donné une idée ; Jean-Jean a donc décidé de s'arrêter dans le stationnement au coin de la rue Ontario et de leur inventer une histoire à partir de tout ce qui venait de lui arriver et du vieux conte anglais, *Jack and the bean*, que son père lui avait conté bien des fois en français ; mais il mit comme condition qu'après l'histoire, les enfants rentreraient tous chez eux, au plus sacrant. Il leur raconta donc : *Rocket et le géant.*

Et Saccatabi, sac-à-hockey !
Écoutez mes amis ce que je vais vous conter !
O.K. ?

Il était une fois un géant aux richesses considérables et incommensurables qui avait conquis, par sa puissance épouvantable, une île où vivaient des habitants paisibles et pas tuables. Ce géant avait permis aux vaincus de continuer d'habiter leur île en échange d'un grain merveilleux appelé « grain de sénevé », amené sur l'île, il y avait très longtemps, par un certain père Vimont, arrivé en même temps que les premiers habitants. Longtemps égaré, le grain fut retrouvé par un autre sulpicien, celui-là fouineur et collectionneur ; il l'avait conservé en sûreté dans un coffret de reliques qui s'était transmis par la suite dans la congrégation, de génération en génération ; le mystérieux grain n'avait jamais été semé par peur, qui sait, de ses effets maléfiques car, disait-on, il provenait peut-être d'anciens druides des vieux pays qui n'étaient pas très catholiques.

Pour sceller la paix sociale, le père conservateur en avait fait don au géant protecteur. Le géant voyait loin et avait le sens de l'histoire. Il connaissait bien le pouvoir et la valeur montante de ce grain aux propriétés magiques. Il l'a donc semé dans les terres fertiles de l'ouest de l'île, où le sol était aussi riche que les voûtes de sa banque. Ce présent s'avérait pour lui plein d'intérêts pour l'avenir.

Ce grain pas ordinaire s'est mis en effet à pousser, à grandir dans les airs et à vue d'œil, produisant un arbre gigantesque aux millions de feuilles ; et aussi incroyable que cela puisse paraître, l'arbre « portefeuilles » n'arrêtait pas de profiter ! Son faîte grattait même le ciel jusqu'aux nuages !

Le temps passait et l'ombre s'installait en bas, de plus en plus loin ; le soleil avait disparu sur certaines parties du nord, du sud et de l'est de l'île. Quelle tristesse ! Où était donc le soleil ? Personne ne le savait. Sans soleil, les pauvres gens étaient devenus l'ombre d'eux-mêmes.

Dans un des quartiers du nord de l'île vivait une famille Richard dont le père ouvrier venait de la Gaspésie. Cette famille se nommait Richard, sans doute à cause d'un ancêtre très très éloigné, car elle n'était pas riche. Cette famille avait un fils vite sur ses patins, très vite ; il filait sur la glace comme une fusée ; on l'appelait « Rocket ».

Un jour, le jeune Rocket, curieux et courageux, grimpa dans l'arbre fabuleux. Rendu dans les branches, il fut ému par des chants d'oiseaux qui n'étaient pas ceux des moineaux. Il aperçut tout à coup une énorme cabane, belle comme un château de Bretagne, construite dans des feuillages verdoyants ! Ça faisait différent avec ce qu'il connaissait car, dans les quartiers d'en bas, tout ce qui était planté, c'étaient des poteaux dans le ciment. À côté du château, le soleil était là et brillait, mais emprisonné dans un grand filet d'acier. D'autres belles cabanes avec dépendances s'étalaient plus haut dans les branches. Rocket n'avait jamais rien vu de pareil ! Mais il ne pouvait pas s'approcher, à cause des molosses bull-dogs parqués derrière une haute clôture de fer forgé qui protégeait l'entrée.

Rocket est redescendu complètement sonné ; il avait compris que l'arbre merveilleux était habité par un géant qui s'était approprié le soleil pour mieux faire profiter ses avoirs. Et en bas... c'était la grande noirceur.

Les habitants se contaient des histoires et chantaient des chansons pour ne pas se décourager et geler tout rond ; ils faisaient brûler des lampions en invoquant et en priant sainte flanelle, patronne tricolore des pures laines et des tricotés serrés, pour qu'elle les réchauffe et allume leurs lanternes. Un soir d'hiver, sainte flanelle entendit enfin l'appel et leur répondit :

– Je vous avais envoyé le petit Aurèle Goliath, mais il n'a pas su vous allumer la flamme. Vous devez maintenant en trouver un neuf qui aura un cœur de lion et saura remettre le soleil en bonne position, au-dessus de vos têtes pour que vous les releviez.

Les habitants déchiffrèrent le message de la sainte ; en fait, ils entendirent surtout le « neuf » ! Un neuf au cœur de lion... c'est Rocket ! C'est lui qu'il nous faut !

On délégua les plus éclairés pour lui parler :

– Rocket ! T'es capable d'aller nous chercher le soleil chez le géant en haut ?

– J'ai jamais dit ça, mes amis, qu'il leur a dit, vous vous trompez de numéro !

– Non, on a ben signalé ! T'es le numéro gagnant ! Sainte flanelle nous a fait comprendre entre les branches que c'est sur le neuf qu'il faut miser !

– Bon, a dit Rocket, si vous me tordez le bras, les éclaireurs, j'peux ben m'essayer à vous trouver la lumière, mais il va falloir que vous m'aidiez. Il me faut des supporters qui auront à faire trois affaires. La première, monter dans l'arbre, cette nuit, jusqu'à la première grosse branche, et y arroser un long sentier pour que demain, le chemin soit bien glacé. Rendus là, vous allez voir le château, vous pouvez pas le manquer ; il faut arroser jusqu'à l'entrée de la grille, mais en silence ! Pas de contes, pas de chansons à répondre ! Attention aux accidents, parce qu'en descendant, ça va être glissant sans bon sens. Puis, vous allez me trouver un bon bâton de hockey, léger et bien « tapé » : un C.C.M., longue portée, modèle gaucher. Ensuite, il me faut un bon gros hot-dog « steamé », avec dedans une grosse rondelle d'oignon, ben d'la relish et d'la moutarde !

– Rocket ! qu'ils ont dit, on va exaucer tes trois vœux du mieux qu'on peut !

Tous se mirent à l'ouvrage. L'hiver était « frette », le zéro du mercure avait la queue « drette ». Le chantier d'arrosage se mit en branle en silence et se poursuivit toute la nuit ; au matin, dans l'arbre, le sentier jusqu'au château était une patinoire lisse comme la glace d'un miroir. Rocket se cracha dans les mains, chaussa ses patins et mit ses gants doublés. On lui apporta le meilleur bâton de hockey, celui qu'il avait demandé. Le « Roi de la Patate » et le « Prince du Hot-Dog », du royaume des sujets cassés aux mitaines pas d'pouce en hiver, s'offrirent comme commanditaires pour fournir le meilleur hot-dog jumbo « all dressed » avec une « patate » en prime ! Rocket mangea la « patate », mais garda le hot-dog jumbo dans son sac à dos. Il se dit : « Je vais me fixer trois buts. Mon premier : parvenir jusqu'au sommet en comptant sur ma volonté et mon hockey ; mon deuxième but : me rendre jusqu'au filet qui retient le soleil prisonnier ; et mon troisième but : le libérer de ses attaches et le ramener en bas au monde qui en arrache. Mais la partie est loin d'être gagnée... »

Sous les cris de « Rocket, donnes-y ! », il partit encore comme une fusée et remonta dans l'arbre jusqu'au sentier glacé que les supporters, porteurs d'eau, avaient bien arrosé. « Il faut faire vite, qu'il se dit, si la glace s'effrite, je vais faire patate ! »

Il aperçut le soleil luisant comme une rondelle dorée à travers la grille fermée, où Rocket put lire : *No Trespassing.* « Me voilà rendu au sommet, qu'il se dit, j'ai atteint mon premier but ! Passons au deuxième ! »

Tout à coup, une sirène retentit,
la grille s'ouvre comme par magie,
les bull-dogs enragés noir
sautent sur la patinoire !
La partie va débuter !

Rocket se fait une mise au jeu d'aplomb
en jetant le hot-dog « steamé »
sur la palette de son bâton
et commence à le tricoter
en virevoltant dans des coups de patin
encore jamais vus de mémoire de chien !
La moutarde monte au nez des bull-dogs ;
ils jappent, se délichent et se ruent sur le hot-dog,
mais glissent sur la relish !
Rocket fait une feinte, en fait deux,
il les fait déborder par derrière,
puis s'avance les yeux en feu
et arrive seul devant le molosse arrière :
le puissant cerbère bull-dog, nommé Onion Jack,
gardien de l'entrée du filet.
Rocket lance à bout portant ;
il lui « snappe » le hot-dog jumbo
avec la rondelle d'oignon en lui criant :
– Onion Jack, je t'offre un « snack » !
Mais il frappe le poteau !
Le hot-dog éclate !
Onion Jack saisit la rondelle,
le cerbère est aux oignons !
Les autres bull-dogs se replient à l'attaque ;
les plus voraces optent pour la saucisse,

certains tranchent pour le pain,
mais d'autres plus coriaces se jettent sur le cerbère
pour lui enlever la rondelle.
C'est la mêlée générale !
Rocket en profite, contre-attaque,
se faufile et parvient jusqu'au filet !
Il a atteint son deuxième but !
Mais c'était compter avant l'arrivée du géant
qui, alarmé et nerveux comme un gros goret
lancé dans un jeu de gouret,
pogne le feu en sortant du château
et saute sur la glace bleue ;
il s'avance, enragé, en beau sirop,
glisse comme sur des pelures de banane
en grognant des « Goddam ! »
Rocket repart à l'attaque,
pivote, lui passe entre les pattes,
lui fait prendre une tasse de café
dans un croc-en-jambe bien placé ;
le géant tombe sur le dos
et en perd son chapeau !
Rocket contourne le filet, attrape le soleil
et fait le tour du chapeau,
vu qu'il a atteint son troisième but !

Rocket retourna aussitôt par en bas, portant le soleil à bout de bras. Il le lança dans les airs, en visant à la bonne place pour qu'il se lève à l'est au-dessus du Faubourg-à-m'lasse !

Le soleil, de bonne humeur et de bonheur, s'est mis à briller aussi pour le monde d'en bas et à dissiper lentement la grande noirceur de ce temps-là. Quand le soir le soleil s'est couché, les gens des faubourgs savaient qu'il allait se relever. Ils ont fêté toute la nuit et la lune argentée, au-dessus des quartiers d'ouvriers, brillait comme une coupe Stanley !

— Rocket, avait dit Jean-Jean, restera dans l'histoire la seule fusée à avoir touché le soleil sans s'être jamais brûlée ! Rocket, you bet ! T'as gagné tes épaulettes !

Jean-Jean, après avoir fricoté aux enfants son histoire de *Rocket et le géant*, est parti dans l'ouest retrouver les autres manifestants dans le bout du Forum et les p'tits « flows », contents, sont rentrés chez eux faire dodo, en rêvant à ce héros tenace, surnommé Rocket le faiseur de merveille, qui leur donnait une place au soleil.

Avec les années, ces enfants-là ont grandi et, en devenant du grand monde, se sont mis eux aussi à descendre dans la rue et à monter dans l'arbre ; mais d'abord à l'émonder, puis à s'en planter d'autres pour que le soleil les enracine et les fasse profiter.

Avec son bâton
Rocket lance et compte !
Mais moi, avec mon hockey-violon
Je me lance et raconte !

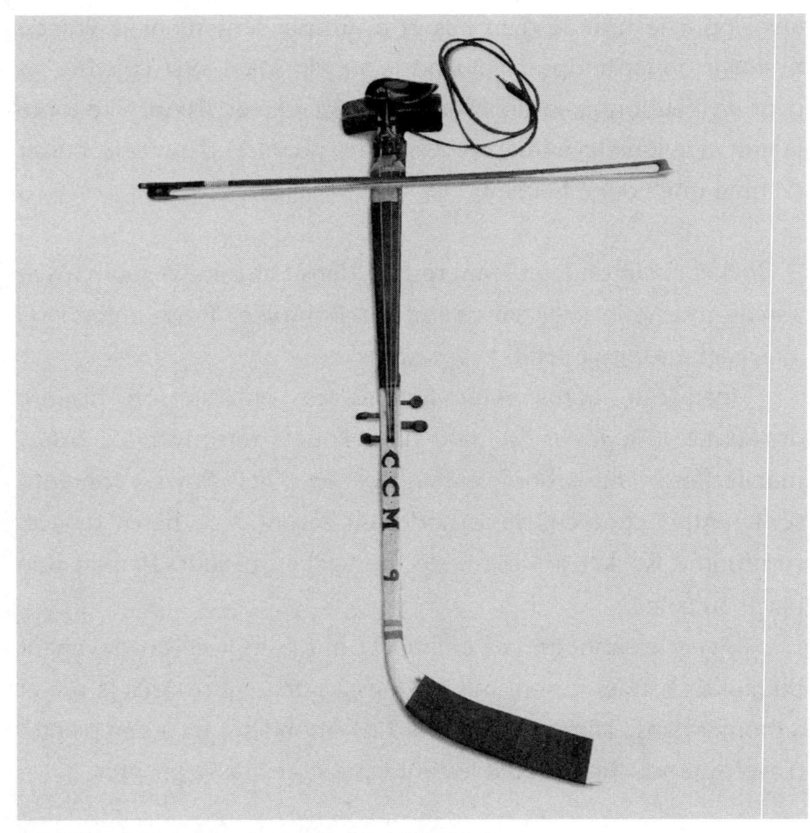

Conception et fabrication : Jocelyn Bérubé et Gilles Blouin.

ALEXIS LE TROTTEUR

1924, le cinéma muet est à son apogée ; celui d'Amérique y est dominant ; les sous-titres de leurs « vues » sont facilement traduits et leurs films sont vus partout, même dans les salles paroissiales des villages les plus reculés du Québec. Le grand cinéaste d'Hollywood, John Ford – qui n'a qu'un œil, mais le bon – sort cette année-là un western fameux : *The Iron Horse,* un hommage en filigrane à l'Amérique du XIXe siècle conquérante des terres de l'Ouest, soudant leur destin à celles de l'Est. *The Iron Horse* devient un symbole d'union et de puissance au prix de l'anéantissement des nations amérindiennes rencontrées sur son passage.

1924, au Lac-Saint-Jean, Alexis, dit « le Trotteur », meurt frappé par *Le cheval de fer... (The Iron Horse!)* qu'il n'a pas vu arriver par derrière. Simple adon, bien sûr ; mais parlons plutôt d'Alexis, puisqu'on est là pour ça...

Le drôle de gars dont je veux ici vous parler, vous ne l'avez pas connu, moi non plus, mais il a vraiment existé. « Le Trotteur » a vécu à cheval sur deux siècles, fin XIXe et premier quart du XXe. Né dans Charlevoix, le gros de son temps s'est passé au Saguenay-Lac-Saint-Jean, mais avec des escapades dans d'autres régions, dont par chez nous. Moi, c'est mon père, Armand, qui m'en a parlé souvent, car son père – mon grand-père Antoine Bérubé – avait travaillé avec lui, Alexis, dans un moulin à scie, si, si, si, dans la région d'Amqui au bord de la Gaspésie, si vous voulez les points sur les « i ». Il a levé les pattes, comme on dit, en 1924 : il s'en allait tranquillement quand, derrière lui, est arrivé... bang ! Wô bec ! Je n'vous raconterai pas la fin avant de vous parler du commencement ! Oui, oui, je sais, on dit qu'un conteur, c'est menteur, mais attention, le mensonge est ici vérité qui a existé !

Cet homme bon comme le pain
courait plus vite que le vent,
trottait, galopait,
mâchouillait des brins de foin,
chiquait du chiendent
et prenait le mors aux dents
quand il voyait une belle jument ;
c'était-y un homme ou un centaure ?
Chose certaine, on l'appelait « Le Cheval du Nord » !

Petits métiers suant leurs misères,
il était aussi connu pour faire
les plus beaux fours à pain :
malaxant la matière en giguant dans le mortier,
moulant les formes avec ses mains, avec ses pieds,
roulant en même temps dans ses yeux le bleu du ciel,
broutant entre ses dents l'avoine du soleil.
Des fours aux contours ronds et doux

comme des pains de fesses,
solides comme les tours d'un château de princesse.

Mais courir, courir, c'était sa vie, sa seule richesse ;
il courait contre les chiens,
les cochons, les chevaux, les humains,
devant les trains, les « chevaux de fer »,
comme les appelaient les Amérindiens.
Il avait des muscles d'acier,
on aurait dit que ça le rendait léger.
On l'avait aussi surnommé :
« Poppé, le cheval volant du Saguenay-Lac-Saint-Jean » !

Il faisait des grimaces si drôles
qu'on le croyait un peu fêlé.
Les gens lui criaient des noms :
« Hey ! L'homme-cheval !
t'arrives pas à te trouver de juments ?
Elles r'virent toutes sur les talons
en te voyant !
Coudon Poppé, es-tu fou ?
T'as une craque dans la boîte à poux ?
Quand l'bon Dieu a fait pleuvoir l'intelligence sur nous,
toé, t'étais pas en d'sous !
T'avais ouvert un parapluie, cré Alexis ! »

Le monde riait de lui, mais on l'invitait partout !
dans les veillées, les fêtes, les tombolas,
on venait l'entendre jouer de l'harmonica,
le voir danser des grandes nuits durant, sans se fatiguer,
des brandys, des spendys,
fringuant comme un poulin
jusqu'aux petites heures du matin,
des gigues et leurs « ailes de pigeon » !
« Wô ! Poppé, reste sur le plancher !
Houdon ! Tu vas pas t'envoler ? »

Puis c'est pas tout.
On dit qu'il fit dans sa vie
une bonne grosse douzaine de demandes en mariage,
une douzaine de treize, j'en serais pas surpris.
Mais avant d'attendre un « oui »,
il était déjà reparti !
Hennissant, piaffant, la tête dans les nuages.
Selon des piles de témoignages,
courait le mille en moins de trois minutes !
Il aurait battu tous les records du temps !

Un bon soir, il a voulu accompagner ses parents
sur le bateau en partance pour Chicoutimi,
quatre-vingt-dix milles plus au nord,

environ cent quarante-cinq kilomètres aujourd'hui.
Sur le quai de La Malbaie,
son père, François Lapointe, lui a dit :
« T'es trop fou ! t'es la honte de la famille, reste icitte,
on t'a assez vu ! »
Alexis lui a répondu :
« Vous pourrez pas voyager plus vite que Poppé, Pâpâ !
Qu'est-ce qu'il faut avoir l'air pour se faire aimer ? »
Quand les amarres furent larguées,
Alexis arracha une branche de tremble
pour s'en fouetter les jambes,
décolla, les pattes aux fesses, comme un ressort,
courut ventre à terre toute la nuit, franc nord,
et arriva le lendemain matin à Chicoutimi,
la broue dans l'toupet !
Il attendit, en faisant des stepettes sur le quai,
le bateau pour l'amarrer
et aider ses parents à débarquer,
quand il les vit arriver...

Il a couru contre les plus grands chevaux trotteurs,
les a vaincus, mais les a aussi guéris.
Les chevaux, on aurait dit
qu'il les connaissait par cœur,
et il leur parlait à l'oreille,
dans leur langue maternelle.

Un beau jour de janvier,
il s'en allait dîner en sifflant,
il travaillait sur un barrage près d'Alma au Lac-Saint-Jean.
Il avait décidé d'aller, par la voie ferrée,
manger des « beans » à la cantine.
Mais sur les rails, dans un croche au loin,
un monstre s'en venait à fond d'train.
Les gars ont eu beau lui crier :
« Hey ! Pop ! es-tu sourd ? vire-toi d'bord !
Tasse-toi ! T'entends pas les "gros chars" ?
Cours ! Envoye ! Réveille !
T'es rendu dur d'oreilles ?!
Débarque de la track ! Attention ! Watch out ! »
Un monstre-cyclope lui a passé sur le corps.
Le boute-en-train était à son dernier sommeil,
couché sur les dormants.
Il courait plus vite que le temps,
mais la mort était en avance.
Le cheval de fer avait vaincu le « pur-sang du nord ».

Mais paraît-il qu'il n'est pas mort.
Il est maintenant devenu une légende,
et les légendes sont comme les arbres et les enfants,
ça grandit au fil des ans.
On dit qu'il court maintenant dans le firmament ;

il fait la navette entre les planètes,
Ben Johnson d'un autre temps,
sans anabolisants.
S'il avalait les astéroïdes,
il courrait aussi vite que le vide.
Il prend plutôt l'énergie du soleil
et part le matin déjeuner chez ses pareils,
tous les champions sans nom, sans Jeux olympiques,
qui ont vécu leur vie dans les brousses d'Afrique,
d'Asie, d'Europe, des Amériques ;
les anonymes sans livre *Guinness*,
dont le gros cœur battant était la seule richesse
et qui s'amusent avec le Cheval du Nord
à fracasser des records dans la galaxie,
dans la « galexis » du Centaure !

Il s'est enfin trouvé une fiancée,
son amante est une étoile filante
qu'il a réussi à rattraper !
En gage, il lui a donné la lune
et l'anneau de Saturne.

Il courait aussi vite que le temps !
Et dans le temps de le dire,
il s'est couché sur un CD,

pour enfin se reposer
et écouter ce que j'avais à raconter sur lui.
Ses prénoms étaient Pop et Poppé et Alexis.
Trotter contre les chevaux, c'était son grand bonheur,
c'est pour ça qu'on l'appelait : Alexis le Trotteur !

Et Sacatabi, Sacataba !
Tant pis pour ceux et celles qui n'y croient pas !

AHMADOU

PORTRAIT SUR DES MUSIQUES DE CHAMBRE NOIRES

En juillet 1870, au large des Îles-de-la-Madeleine, entre la Dune-du-Sud et la Pointe-aux-Loups, des Madelinots ont vu dériver vers la côte une épave étrange ballottée par la marée haute. C'était le corps d'un homme noir qui roulait dans l'eau salée du golfe ; aucun débris de naufrage n'avait été vu dans les parages. Les Madelinots, hospitaliers même dans la mort, l'avaient enterré dans un buttereau de sable pas loin du lieu où il avait échoué. Mais les soirs de pleine lune, les villageois apercevaient au loin une petite lumière bougeant dans les airs au-dessus de l'endroit où l'homme était enseveli : c'était un feu-follet dansant dans la nuit. Un matin, en allant y voir de plus près, ils trouvèrent l'homme à moitié déterré, le visage face au ciel. Ils l'ont finalement mis dans un tombeau, corps et visage face au sol, dit-on. Il ne s'est plus déterré. Mais certains soirs de pleine lune, un feu-follet revenait danser au-dessus des dunes ; dans l'air semblait résonner une mélopée en mineur ressemblant à un vieil air de blues soufflant à travers la cloche d'un vent du sud lointain et profond, paraissant même venir de racines plus creuses que le sable et le sel des Îles.

I went down to the St. James Infirmery,
To see my baby there,
She was stretched out on a long white table
So pale, so cold and so fair[1].

Cet air de blues chante la peine d'un homme voyant sa femme morte, sur une table d'infirmerie dans une petite ville sudiste des États-Unis. Cette douleur, était-ce la même que celle de cet homme qu'on trouva sans vie, rejeté par la mer, en juillet 1870, aux Îles-de-la-Madeleine ? D'où venait-il ? Comment y était-il arrivé ? Ce trou de mémoire que l'histoire n'a jamais rempli, le conte, lui, s'en est chargé.

Il raconte qu'un soir d'été de cette année-là, un homme nommé Ahmadou, de son prénom d'origine, pleure la mort de sa bien-aimée. Sa peine est immense comme les champs de coton de la Louisiane où ils ont peiné ensemble, esclaves depuis leur adolescence, lui, fils d'un sorcier-griot et elle, fille de guerrier, tous deux natifs d'un village des côtes ouest de l'Afrique, déracinés de leur clan, séparés et embarqués de force sur des galères, comme « bois d'ébène » ; c'est ainsi que les négriers négociants appelaient leur cargaison humaine à destination des Amériques. C'est avec des chaînes aux pieds qu'ils s'étaient retrouvés, c'est avec un carcan au cou qu'ils s'étaient dit leurs premiers mots doux.

---

[1] Tiré de : *St. James Infirmery*, blues trad.

Maintenant qu'elle était partie, il était inconsolable ; même par les sons de son cornet à pistons que, bien des années auparavant, un vieux créole français, directeur d'orphelinat, lui avait troqué pour des mois et des mois d'ouvrage à y faire des ménages.

Il était libre depuis quelques années déjà, depuis l'abolition de l'esclavage dans son pays d'adoption. Mais la médaille dorée de la liberté avait un revers en fer blanc. Il était affranchi, mais sans terre ni argent, usé par tant de travaux forcés et surtout par la nourriture infecte, fournie par les patrons des plantations. Sa bien-aimée n'avait pu être réchappée. Ahmadou en resta désemparé ; avec elle, le plus beau de sa vie s'était envolé.

Il se rappela ce qu'on lui avait raconté sur la provenance des morues séchées, qu'ils avaient mangées, chaque journée, durant tant d'années. Elles provenaient du Canada, plus précisément d'une lointaine contrée du nord-est de l'Atlantique, appelée Gaspésie, où des compagnies anglo-normandes expédiaient, à bon prix, ce produit très recherché en Europe et en Amérique, mais vendaient aussi aux pays esclavagistes leurs stocks de morues mal séchées, mal préparées, avariées ou brûlées par le sel. À la longue, beaucoup d'esclaves ne survivaient pas à cette pitance de misère.

Le goût amer du passé, la soif de vengeance et le sel de la douleur lui sont montés dans la gorge comme un haut-le-cœur. Quand, ce jour-là, Ahmadou a plongé dans l'eau du golfe du

Mexique, ce n'était pas pour en finir avec la vie, mais pour partir à la nage vers le nord à la recherche des vendeurs de morues avariées, empoisonneurs d'esclaves et de bien-aimées. Rien ne pouvait plus l'arrêter ; il nagea comme s'il avait aux pieds des pattes de grenouilles de sept lieues. La mer était grande, comme sa révolte. La rage au corps, il fila comme le fils d'une sirène des mers du nord. Il nagea, nagea, nagea dans la mer comme, dans d'autres contes, on marche, marche, marche sur la terre. Il avait emporté avec lui ce qu'il avait maintenant de plus cher et de plus précieux : son cornet à pistons ; il s'en servait comme tuba : la cloche de l'instrument dépassant au-dessus de l'eau, il pouvait ainsi respirer par l'embouchure et continuer son aventure sans être vu de Jim Crow, et de sa clique de ségrégationnistes, qui rôdaient peut-être sur les bateaux. Un coup d'œil hors de l'eau, de temps en temps, lui suffisait à repérer la polaire pour ne pas perdre le nord. Dans le ciel gris, Ahmadou aperçut tout à coup un grand oiseau magnifique, un agami appelé aussi oiseau-trompette. Ce bel oiseau égaré s'était échappé des filets d'un oiseleur. Il planait au-dessus de la tête d'Ahmadou, intrigué par le cornet à pistons. Ahmadou, qui était loin d'avoir calculé l'ampleur de sa quête, lui demanda de l'aide dans un dialecte de sons rythmés, appris jadis de son père sorcier l'initiant au langage des oiseaux. En échange d'un air de cornet, l'oiseau-trompette noir au ramage vert métallique le fit monter sur son dos et l'amena au nord de l'Atlantique, où les compagnies égrenaient sur les côtes leurs magasins et leurs crédits aux pêcheurs esclaves gaspésiens et acadiens. Le grand oiseau noir, sentant le froid lui transir les ailes, reprit son envol vers le sud, à la recherche désespérée de ses plages d'origine dans les Caraïbes.

Ahmadou continua de nager sans relâche, à contre-courant des marées et des vents, pendant sept jours et sept nuits dans un froid de plus en plus envahissant. Il était épuisé, assoiffé, affamé et découragé. « Bois d'ébène » fit la planche, porté par un banc, un grand banc de morues cordées et endormies. L'eau était glacée et sa peau, bleutée de froid, brillait sous les rayons de la lune ; son cher cornet s'était rempli d'eau ; il l'enleva de son cou, le secoua, souffla dedans vers le haut : de la cloche sortit un grand jet d'eau. Aussitôt, une flèche de harpon à baleine siffla, percuta l'instrument qui rebondit et disparut dans l'eau ! Du coup, le banc s'écrasa sous son dos ! Un baleinier américain pêchant dans le golfe, le confondant avec une petite baleine bleue, le prit en chasse. Pourrait-il lui échapper ? Le fils du sorcier, qui avait perdu son cher talisman, nagea encore comme un possédé, évita les flèches de l'ennemi et réussit dans ses dernières forces à semer le chasseur de baleines. Mais dérivant au large des Îles-de-la-Madeleine, il se sentit mourir d'épuisement et de douleur ; il abandonna sa course, sans avoir rencontré les empoisonneurs. Il n'aura pas réussi à leur voir le blanc des yeux ici-bas car, en juillet 1870, Ahmadou sortit du conte pour revenir dans la réalité : les empoisonneurs du monde ne paient vraiment leurs comptes que dans les histoires inventées.

En ce soir d'été 1870, un homme déboulant dans les vagues, comme une épave de bois précieux, fut recueilli par des Madelinots. Il leur créa quelques embûches quand vint le temps de l'enterrer, car « Bois d'ébène » avait de la sève de sorcier dans ses veines. Se déterrant les soirs de lune, son âme en peine errait en feu-follet hantant les dunes, et son visage, face au ciel, avait encore un bout de fil dans la mémoire, au bout de son rouleau, pour refiler aux poussières lumineuses de la nuit des temps la trame d'une histoire entendue dans sa jeunesse : raconter la vie pour reculer la mort, pensait-il encore. Il revoyait le visage de son père-griot, debout sous l'arbre à palabres, dans une chaleur torride et devant le regard de glace des négriers négociants armés jusqu'aux dents, raconter comment étaient nés les premiers humains. Il disait aux conquérants qu'au tout début, les battements de tambour exprimaient la parole et étaient la langue ; mais un jour, le tambour est devenu un cœur vivant dont la peau en était l'enveloppe ; le cœur et la langue sont, depuis ce temps, faits de la même chair, nés dans le corps de la première mère : « Votre mère vient d'ici, mes frères ! » qu'il leur avait dit. Mais sans tenter de comprendre les mots de sa langue ni sans attendre la fin et le sens de sa harangue, les armes lui avaient répondu en crachant leur feu. On dit encore aujourd'hui : « Un griot mis en terre est l'histoire et le savoir de tout un monde qui part en poussière ». Devant le père muet, couché dans le sable rougissant sous un soleil couchant, les négociants avaient emporté le fils, Ahmadou, fort et en santé, pour servir la nouvelle Amérique.

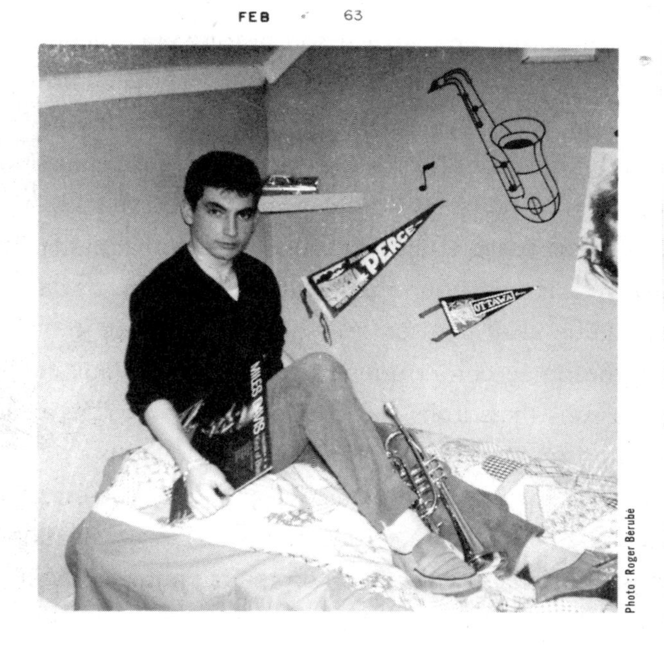

Photo : Roger Bérubé

« [...] alors que j'étais jeune adolescent, apprenti-musicien dans l'Harmonie de Matane, le directeur, monsieur Lavoie, m'avait prêté un cornet à pistons. »

Quand, pour la première fois, j'ai raconté le voyage à la nage de ce fils de griot vers les Îles-de-la-Madeleine, je pense qu'il s'est retourné dans sa tombe, pour se replacer du bon côté ; il pouvait maintenant dormir en paix, car son histoire était racontée.

Il y a de ça longtemps déjà, alors que j'étais jeune adolescent, apprenti-musicien dans l'Harmonie de Matane, le directeur, monsieur Lavoie, m'avait prêté un cornet à pistons. Il avait un bon son, même s'il était usagé et un peu cabossé. Le cornet aurait, paraît-il, été trouvé par une bonne âme qui cherchait des agates sur la plage. Elle en avait fait don à la fanfare. Au fond, je n'ai jamais su l'origine de ce cornet que je trouvais merveilleux ; dans mes premiers sons maladroits, j'ai eu l'impression de libérer un feu-follet emprisonné et de le voir filer vif et lumineux.

Plus tard, après avoir beaucoup pratiqué, il m'est venu une mélodie que j'ai dédiée à cet inconnu que j'ai appelé Ahmadou, en simple hommage, comme on en rendait autrefois à Storyville, à la Nouvelle-Orléans, quand pris de blues, les gens souhaitaient, à leur façon, un beau voyage dans l'autre monde à une amie ou un ami qu'ils avaient bien aimé dans celui-ci.

DÉSIRÉE

À Roger, mon frère.

Quand je suis arrivé ce jour-là au vieux quai, la cérémonie de mise en terre était commencée : des pelles mécaniques, des *thumberjacks* lui cassaient son plancher de ciment, lui arrachaient son tablier ; les foreuses se faisaient fossoyeuses. Les énormes poutres de pin rouge qui lui servaient de piliers, enfoncées dans l'eau, résistaient encore, tenaient bon, émergeant à la verticale de l'eau huileuse et brune, sorte de soupe aux « poids lourds ». Des camions dix-roues, sur le terre-plein, attendaient à la queue leu leu en cortège serré pour charger les dépouilles et les emporter vers une fosse commune.

Avec ma perche et mes vers de mer, j'arrivais un peu tard pour pêcher l'éperlan sur le quai comme dans mon jeune âge, moi, exilé dans la grande ville, mais revenant de temps en temps au pays natal en coup de tête y respirer l'air de la mer.

En regardant l'hécatombe m'est revenue en mémoire la petite histoire du quai — à défaut d'en connaître la grande — ou plutôt sa légende. C'est une histoire entendue dans un autre voyage, en amont du quai, devant l'une des maisons de pêcheurs peintes en gris par les vents du large. Dans l'une d'elles, encore debout à l'époque, vivait monsieur Omer Lespérance, ancien pêcheur de morue, qui, ce soir-là, sur son perron, assis sur une chaise droite, faisait le geste machinal de se bercer, son brûlot à moitié éteint à côté de lui dans un cendrier sur pied, le chapeau ancré jusqu'au bord des oreilles et ses grosses mains noueuses nouées derrière sa tête comme pour empêcher l'histoire qu'il racontait de filer à l'anglaise. En regardant la mer devant lui, il avait conté, à sa manière, ce que je vous raconte à mon tour, d'une autre façon.

* * *

Aux abords du village, on venait de construire le quai. Les pêcheurs de la côte l'avaient appelé Désirée, d'un nom de femme, parce que c'était le désir des bateaux de toujours y revenir et de s'y attacher après leur travail en mer. Désirée, sans bouger d'une semelle, de pied ferme, les attendait patiemment, la devanture pointée vers les marées. Les bateaux de pêche rentraient la retrouver en fin d'après-midi ou en soirée pour y déballer ce que la mer leur avait donné de fruits et de pain quotidien, lui collant au passage des écailles de poissons en guise de paillettes pour lui faire sa beauté du soir. De temps en temps, pour décorer son tablier, des goélettes lui ramenaient en souvenir de voyage des étoiles de mer décrochées de leurs filets. Étendus sur elle, les soirs de lune, les filets avaient l'air de châles dérobés aux sirènes. Les mouettes venaient chaque jour faire leur tour et s'y poser, dans l'attente de l'arrivée des bateaux pour y quêter leur souper ; puis, rassasiées, elles repartaient à la brunante en lâchant leur fiente et en lançant dans l'air leur chant de mer.

Il y avait seulement le voilier à Dommage qui ne partait jamais. Dans le serein du matin, les bateaux de pêche, en partant faire sur la mer leur train quotidien, le regardaient un peu de travers :

– Y'fout rien..., semblait papoter l'un des bateaux.

– Y'vit aux crochets de Désirée..., placotait l'autre.

– On sait ben, y'est pas comme nous autres... Lui, il est à voile...

– Et y'est peut-être bien aussi à vapeur...

Les quolibets s'évaporaient dans les effluves des moteurs au diesel. Le petit voilier passait ses grandes journées attaché au tablier de Désirée. Il se frôlait à elle, comme pour sans cesse lui demander :

– Désirée, dis-moi quand est-ce que j'vais partir ?

– Ça viendra un jour..., qu'elle avait l'air de lui dire.

Désirée aurait sans doute aimé, un matin, le regarder voguer vers le large à l'aventure et disparaître à l'horizon, pour le voir revenir un de ces quatre soirs, saoulé d'air et avec plein d'histoires à lui conter. Mais non. Dommage s'amenait certains jours de bon vent, avec une caisse de bière. Le p'tit bateau, en le voyant, semblait frétiller dans l'eau comme un éperlan et murmurer :

– Dommage, si tu tiens à moi, fais-moi naviguer...

Dommage montait à bord, balayait le large du regard, calait une bière en fixant le nord, puis retournait au village attendre son chômage. Le petit voilier voyait encore son rêve mort-né dans les dernières lueurs de la journée. Des fois, quand sa caisse de bière était vidée, affalé à l'avant comme une pauvre figure de proue déglinguée et mal installée, Dommage – qui était plus grand que beau – cuvait sa cuite en griffonnant du papier ; puis il en chantait même les phrases, s'accompagnant sur une vieille guitare qu'il sortait du petit gaillard avant. En l'entendant, le voilier lui aussi avait l'air rempli d'ivresse ; mais lui, c'était plutôt celle d'un chien fidèle à qui on va enfin enlever sa laisse.

– Dommage, tu me fais languir, fais-moi partir...

On aurait dit que le p'tit bateau en saisissait des mots. Bien souvent, les bouts de papier partaient au vent et Dommage ne faisait rien pour les retenir. On en avait même un soir ramassé un, atterri au bout du quai, retenu là par la pluie. Dessus, c'était écrit : « L'Elfe des mers », et on pouvait encore y déchiffrer, à travers les vers détrempés :

Quand est-ce que j'vais sortir de l'anse ?
Quand donc vais-je naviguer ?
J'aimerais tenir tête à la Mer des Tempêtes.
Voir celle des Sept-Clartés,
Mais la nuit vient encore de tomber.
Quand est-ce que j'vais sortir de l'anse ?
Quand vais-je voir, quand j'avance,
L'horizon reculer ?

Un bon soir, le Nordet déchaîné avait barbouillé la toile du ciel en noir et commençait à la déchirer. Les bateaux, la flotte sur le dos, s'étaient dépêchés de rentrer. Ça promettait d'être une veillée du tonnerre ! Le Nordet avait amené avec lui son bataclan de musique infernale ; le mauvais temps roulait des timbales et sonnait électrique ; le grand vent soufflait l'air et battait le rythme : « Swinguez tous vos compagnies ! » Les Gaspésiennes, déjà trempées en lavette, faisaient des steppettes avec les goélettes, les morutiers avaient l'air de giguer ! Ça frottait fort autour du quai ! Ça brassait de tout bord tout côté ! Tous les bateaux faisaient la vague !

C'est dans un de ces soirs de vent à écorner les « beus » et de nuages en queue de vache que le grand Dommage est arrivé sur le quai. Il zigzaguait, s'enfargeait dans les filets, rond et perdu comme une bouée abandonnée, avec sur le dos un *packsac* et, dans les mains, deux *six-packs*. Désirée, en l'apercevant, lui a lancé :

– Qu'est-ce que tu viens faire ici, Dommage ? T'es pas invité à veiller ! R'vire de bord !

– J'sacre mon camp au nord ! criait Dommage. J'vais m'trouver de l'ouvrage ! Attends-moi, Mirage ! J'm'en viens te trouver ! J'crèverai pas par icitte à pelleter des nuages !

Dans le ciel, les nuages insultés sont devenus encore plus menaçants et ont descendu leur couche d'un cran pour sentir de plus près celui qui les narguait.

Le p'tit voilier, lui, en voyant Dommage approcher, était fébrile et ne savait plus où donner de la quille, partagé entre des tangages de bonheur et des roulis de frayeur :

– Dommage, j'attends ça depuis si longtemps, mais t'es certain que c'est l'bon temps ? Où tu vas, j'vais avec toi ! Mais la tempête, t'es sûr qu'on peut la dompter ?...

Le Nordet leur faisait la bise en soufflant encore plus fort ; Dommage détacha les amarres et appareilla pour le nord. Désirée, sans pouvoir l'empêcher, leur criait :

– Où c'est que vous allez, casseux de veillée ?

Même en se prenant une voix de criard de phare, c'était comme parler rien qu'au vent. Le Nordet souffla dans le dos du voilier et le poussa au large. Dommage et son « Elfe des mers » ont disparu dans un éclair. On entendait en écho des « filez, ô mon navire, car le bonheur... » Les mouettes criaient de désespoir, les vagues cognaient et éclaboussaient Désirée, l'embrun se changeait en larmes salées. La veillée avait viré en queue de poisson.

Avec le temps, on n'a plus eu de nouvelles des portés disparus. À son côté où, il n'y avait pas si longtemps, un p'tit voilier se tenait ancré, Désirée gardait maintenant une place déserte, comme une chaise toujours vide autour de la table à dîner. Elle se mit à vieillir plus vite : se faire du mauvais sang n'aide pas à remonter le courant. Le Nordet, achalant, venait faire des visites en coup de vent et partait des veillées à l'improviste. Dans le grand vent salin, les bateaux rongeaient leur frein et, amarrés au quai deux par deux, grinçaient de la coque entre eux comme s'ils se chuchotaient :

– Désirée nous protège plus assez, elle a fait son temps ; on est tannés, nous autres, de frotter en sets carrés des nuits de temps ! Ça nous use jusqu'à la corde ! Pis le lendemain, on r'part tout ébouriffés !

C'est qu'ils avaient ouï-dire à travers les vents qu'à l'autre bout de l'anse, une nouvelle venue, dans un grand barda de chantier, était apparue : large, bien bâtie, la devanture longue et profonde, bien entourée de béton armé et où le Nordet avait plus difficilement ses entrées. Des pétroliers, des gros cargos arrivaient de partout en pétant de la broue et du mazout pour visiter la nouvelle parvenue et y décharger leurs soutes. Les goélettes, les morutiers et les Gaspésiennes commencèrent à découcher ; ils désertaient un à un Désirée pour aller veiller en ville avec la grande visite et s'installer à côté d'eux pour la nuit en les saluant, impressionnés, avec des courbettes et des salamalecs. Bientôt, Désirée se retrouva seule, les bateaux ne venaient plus la voir ; seuls le Nordet et son comparse d'en face, le sournois et dangereux « Suroît », venaient rôder et se relayer en l'enveloppant de « grondeuses » maudites. Elle n'avait plus d'autre visite. La mer en face d'elle aussi changeait. L'eau, d'habitude si bleue même par un ciel nuageux, restait maintenant toujours grise ; Désirée, dans ce grand miroir cassé par les vents, se voyait toujours à marée basse, même à marée haute.

Elle a pensé : « La solitude, c'est trop dur à supporter. »

Elle mûrit sa vengeance contre les bateaux qui l'avaient délaissée. Des idées de sorcière, fouettées par les grands vents, se mirent à la hanter. Ce soir-là, à l'écart, la pleine lune luisait derrière un voile blafard. Des nuages noirs dansaient une sarabande dans un sabbat d'enfer, tels une bande de loups affamés traquant les moutons de la mer. Désirée, seule, abandonnée dans la tourmente et ensorcelée par la danse vaudou et envoûtante des maudits vents fous, implora la lune en lançant une plainte si déchirante qu'on aurait cru celle d'un navire en détresse. Elle lança un sortilège à la mer : aussitôt, la lune s'avança en soulevant son voile mouillé et, brillante, déploya dans la cape infinie de la nuit mille rayons argentés comme autant de baguettes magiques qui frappèrent les vagues agitées, calmèrent les flots en pénétrant dans l'eau, et changèrent sur-le-champ les morues de la mer en lingots d'argent.

Les soirs suivants, quand les morutiers rentrèrent en ville avec de l'argent plein leurs cales, la nouvelle se propagea comme la fumée dans l'air : « Il y a des trésors dans la mer ! » Les pêcheurs de la côte d'abord n'y ont pas trop cru ; de l'argent sonnant, ils en avaient rarement vu. Mais en un rien de temps, des chalutiers moyens et gros, équipés de sondes et de filets géants, arrivèrent même du vaste monde pour exploiter la nouvelle mine, attirés par l'odeur de la morue qui maintenant sentait le « bacon ». Le grand havre en ville était débordé ; les goélettes et les Gaspésiennes qui avaient déserté Désirée revenaient s'y ancrer de nouveau, faute de place là-bas et chassées par les plus gros y imposant leur loi.

Comme dans le temps, Désirée les accueillait en silence, mais contente du trouble qu'elle causait.

Même Prosper, alias *Moneymaker,* un parvenu de la diaspora régionale du temps, sentit le bon placement, rentra au pays, s'improvisa pêcheur compétent, forma sa compagnie, se dénicha des permis, acheta une Gaspésienne, un équipage de pêcheurs sur le crédit et s'ancra au large. Il jeta à la mer tous les filets qu'il pouvait et attendit l'effet. Il remonta un premier filet, mais c'était un filet de harengs et, comme on le sait, du hareng, c'est pas payant. Tout d'un coup, il se mit à crier :

– Bâtême, chu dessus all right !

Les autres filets avaient l'air de peser sans bon sens.

– Pêchez ! Dépêchez ! J'ai pogné le jackpot ! criait Prosper le *big shot* !

Les poulies grincèrent, le palan craqua, les filets remontèrent lentement, mais dans un plus petit banc de harengs est apparue une paire de bottes de travailleur ; leurs lacets étaient pris aux cordages qui sortaient des mailles :

– Tirez fort ! Envoyez fort !

Puis, émergea de l'eau un débris de guitare sèche accompagné d'étoiles de mer collées au filet de pêche ; on aurait dit un restant de décoration d'une ancienne boîte à chansons qui aurait coulé au fond, emportée par un raz-de-marée.

– Envoyez donc ! Houdon !

Tout à coup, les cordages dévoilèrent un voilier à moitié pourri, ou ce qui en restait, ses haubans retenant une toile kaki attachée à un bout de mat cassé. La Gaspésienne, en remontant de peine ses filets, s'est sentie presque chavirer en reconnaissant le petit voilier : « l'Elfe » de Dommage. Prosper a embarqué l'épave, tous les filets, et est rentré à bon port. Autour, dans le décor, tout ce qu'il y avait d'argenté, c'étaient les goélands qui, eux, de leurs yeux jaunes et vitreux, voyaient refléter de l'or dans le frétillement des harengs.

La Gaspésienne est rentrée au vieux quai comme en deuil avec sa prise de la journée, enveloppée dans une voile détrempée devenue linceul, escortée dans le soir par les goélands qui avaient mis leur manteau noir. En voyant l'équipage arriver, c'était trop pour Désirée : elle a craqué et déchiré son tablier. Prise de remord, elle a voulu lever le sort jeté à la mer, mais ce n'était plus nécessaire : la manne d'argent de la mine était déjà disparue et emportée dans les cales pleines à craquer des grands chalutiers-usines.

Prosper, la mine à terre, révisa son plan d'affaires : il fallait se r'virer de bord, changer son fusil d'épaule et tirer cinq « trente sous » dans le « huart » ; mais d'abord, sa compagnie-bidon en quête vite de lingots misa plutôt sur les lotos et les bingos ; puis, comme la bonne odeur du profit émanait d'une porcherie — et qu'elle sentait le « bacon » aussi —, il s'est dit, comme le dicton, que : « Des sous plein son cochon font le porte-monnaie rond ».

Il restait les pêcheurs du coin qui, eux, mirent l'épaule à la roue, en voyant venir au loin la mère-misère roulant sa bosse ; ils s'organisèrent en frères pour contrer son approche et sauver des morceaux de leur métier d'hommes de mer.

Quant à Désirée, la vieille solitaire, elle voyait s'approcher de temps en temps des beaux voiliers qui la saluaient avec respect et continuaient leur route. Elle garda longtemps accrochés à son flanc brisé les restes d'un p'tit navire qui n'avait pas eu d'histoires à lui conter. Dans les déchirures de son tablier flottait encore le courant d'air d'une musique en écho sur des paroles chantonnées par Dommage, un soir à ses côtés :

Quand-est-ce que je vais sortir de l'Anse ?
Quand donc vais-je naviguer ?
Quand vais-je voir, quand j'avance,
L'horizon reculer ?...

Mais les paroles du discours plus terre à terre « d'un océan à l'autre » du beau-frère de Prosper en réélection, voulant que « si t'es vieux, tu coûtes cher », étaient bon somnifère pour un autre quatre ou cinq ans et faisaient encore leur effet : dans l'endormitoire du village et l'indifférence de la région, Désirée se laissait dépouiller de ses morceaux. Ses frères et sœurs de la côte, eux, vieux havres de pêche conçus avec amour de l'utile et du beau, s'en tiraient mieux : ils se faisaient enterrer sur place de pierres géantes pour devenir « foyers d'écueil », couchés dans leur cimetière marin, comme pierres tombales de la petite histoire du coin dont les écriteaux n'avaient jamais été gravés.

Cette histoire du père Lespérance, que j'ai mise dans mes propres mots, n'avait pas vraiment de mot de la fin. Aussitôt qu'il prononçait le nom de Dommage, il se taisait un brin. Dommage Lespérance était son fils, et il y a de ces cicatrices que l'âge et le temps ne referment pas complètement. Après ce jour-là, je n'ai plus revu le vieux pêcheur de morues. J'ai appris plus tard qu'il était parti, comme on dit, vers un autre ailleurs ; il avait cassé sa pipe à peu près dans les mêmes temps qu'il avait cassé maison. On avait démoli sa demeure à lucarnes en bardeaux de cèdre gris pour construire, sur l'emplacement, un bungalow en déclin de vinyle blanc. Il avait simplement ajouté, dans sa manière bien à lui, et en arrêtant net son récit :

– T'sais, mon homme, j'vais dire comme Nil a déjà dit : « une morue s'doute jamais que ben souvent, c'est dans l'eau qu'elle s'fait cuire ». Et c'que j't'ai raconté là, prends donc juste ça pour une histoire de pêche... pis nous autres, sur les côtes, on en a entendues ben d'autres !... Je t'ai jasé, puis on s'est vus, à bon entendeur, salut !

WILDOR LE FORGERON

Ferre, ferre mon p'tit cheval
Pour aller à Montréal,
Ferre, ferre ma p'tite pouliche
Pour aller à Yamachiche,
Ferre, ferre ma p'tite jument
Pour aller à Batiscan,
Ferre, ferre mon p'tit joual vert
Pour aller à Trois-Rivières !

Enfant, son père lui chantait cette comptine en le faisant sauter sur ses genoux et, un jour, devenu grand, c'est lui qui a sauté dans les bottes de son père pour devenir à son tour le forgeron du village. Wildor avait hérité, de sa mère Imelda, sa force tranquille du dedans, tandis que celle du dehors lui venait d'Adjutor, son père, un esprit jovial, mais un peu rude et naïf. Adjutor lui avait aussi transmis l'art de faire, gardant en mémoire sa dernière et sa plus belle signature d'artisan-forgeron : le coq du clocher de l'église du village. Le père avait tellement mis de finesse, d'art et d'âme dans son travail, qu'au dernier coup de marteau sur la queue rougie de l'oiseau, le jeune Wildor avait alors vu le coq s'envoler pour aller se jouquer de lui-même sur le bout de la flèche du clocher, où il tournait encore aux quatre vents. L'habile artisan, en regardant son fils et en lui remettant son tablier, avait dit fièrement :

– Un jour, je te souhaite d'en faire autant, mon gars ! C'est en forgeant qu'on devient... tu sais quoi ?

– Euh... forgeron ?

– C'est en plein ça, mon garçon.

Mais pour ce qui est du clocher de la grosse église dans la ville d'à côté, ni Adjutor, le père, ni aucun autre forgeron de l'époque n'avaient été approchés pour y forger une girouette en forme de coq, car tout le canton avait eu vent que c'était le diable, sous la forme d'un puissant cheval noir, qui avait transporté la pierre pour la construction du bâtiment, et qu'on n'y met pas, dans ce cas-là, un coq sur son clocher ; on disait que c'était même une des conditions du diable dans son pacte avec le curé. De toute façon, la grosse église en question avait deux clochers : on ne met pas deux coqs dans un poulailler.

Mais pour en revenir à Wildor, maintenant maître à bord, c'est dans l'antre chaud de sa forge que les gens venaient se raconter les dernières nouvelles, les plus incroyables et les plus fantastiques. Wildor, de temps en temps, mettait son grain de sel dans la conversation tout en mâchouillant un morceau de fer, car c'était sa manière d'en reconnaître la qualité. Cette chaleur humaine de la forge, venait-elle de Wildor lui-même, des grands secrets qu'il avait appris de son père et qu'il transportait à travers le temps pour le mieux-être de ce qu'il appelait communément la communauté ? Il connaissait l'âme du feu et des étincelles qu'il sculptait sous son marteau en mouvement, faisant naître, du fer rouge sur l'enclume, des poignées ouvragées, des serrures en fleur de lys, des pentures en queue d'aronde, des clous, des vis, des écrous, des roues, des outils de toutes les formes pour toutes les fonctions et tous les goûts. L'art de Wildor était de transformer la matière par le feu, et une bonne partie de son travail était aussi de faire, avec du fer, des fers : des fers à cheval, car il était aussi forgeron maréchal.

Quand l'hiver arrivait en gros sabots enneigés, Wildor accueillait à sa forge les percherons du canton en les appelant même par leur p'tit nom. Les chevaux venaient y faire vérifier et réparer leurs attelages, mais surtout changer leurs fers d'été pour ceux d'hiver. Les chevaux de trait et aussi ceux d'agrément dételaient leurs gréements d'été : « buggys », calèches, charrettes, « waggines » et machines aratoires, pour reculer dans les « menoires » de ceux d'hiver : berlines, berlots, traîneaux, bacagnoles, carrioles et « sleighs-doubles » à billots. Le cheval, aussi indispensable au quotidien que, sur la table, l'était le pain.

Un jour, dans la forge de Wildor, entre un homme tiré à quatre épingles, empoussiéré et essoufflé, chapeau melon sur le ciboulot, la moustache frisée par en haut à la barre de savon, p'tits souliers en cuir « patant » : un riche de la grand-ville d'à côté, sûrement. Il demande à l'artisan :

— Ça vous serait-y dur de réparer ma voiture ?

— Ben sûr que non, répond Wildor, occupé à ferrer un sabot de jument, vous pouvez dételer votre monture...

— Non, dit l'homme au chapeau dur, ma monture est une voiture ! Vous comprenez pas ? Venez donc voir ça.

Wildor finit d'abord la besogne commencée, puis sort dehors ; il aperçoit en effet, devant les grandes portes de sa boutique, une espèce de bête de tôle foncée, luisante, pas de poil, pas de queue, pas de pattes, mais des roues de caoutchouc en dessous, un autre caoutchouc accroché au derrière. Un mot brillant est écrit sur le devant ; Wildor connaît sa langue, mais il n'en a pas appris les lettres. Il demande au pacha :

— Qu'est-ce qu'elle a d'écrit là ?

L'homme au melon lui répond :

— Mais c'est son nom, voyons ! Ford, modèle « T ».

— Ah bon, dit le forgeron, c'est un nom bête... Ils lui ont étampé son nom sur le museau, puis ça lui a fait sortir les deux yeux de la tête...

— Ça, dit l'homme à la moustache retroussée, ça mange ni avoine ni moulée ; mais ça ronge le foin des portefeuilles ! C'est la révolution, mon cher monsieur ! Ce nouveau siècle commence avec la révolution de l'explosion du... du... piston par la combustion... euh non... ç'est plutôt que la fonction d'explosion créant, disons d'une certaine façon, de la friction dans la pression des pistons provoque une réaction due à l'action de la carburation : les roues en rotation, développant une accélération, sont donc l'effet d'une tension en relation par extension avec la traction de la contraction dans la con... euh non... de la contra... de la contradiction dans la confusion de mon explication... En un mot comme en deux : ça marche au cheval-vapeur !

— Cheval-vapeur... ? Ah bon... Ça doit être pour ça que ça sue du capot..., lui répond Wildor impressionné, en touchant le pare-brise suintant et encore chaud.

— Ça, dit le fier Jos Connaissant, c'est une bête à moteur ! Car dorénavant, l'avenir sera le moteur du futur, comme le présent est présentement le moteur de... heu... de maintenant !

— Hé, monsieur ! Vous parlez comme le député du canton !

— Non, je suis seulement le nouveau maire de la grand-ville d'à côté, et c'est avec des promesses concrètes comme ça que j'ai pu me faire élire et me payer cette merveille-là !

— Mais là, lui dit Wildor, j'sais pas trop si je peux vous aider, c'est la première fois que je vois une chose comme ça. Qu'est-ce qu'elle a ?

— Je ne le sais pas ; elle veut plus avancer pantoute !

— Ah, elle « bucke » ?

— C'est à peu près ça...

— Ben, chicanez-la ! Si c'est vous le maître, apprenez à la connaître ! Brassez-la ! Un coup de fouette, un p'tit coup de cordeau, pis envoye par là !

— Ah non, ça, quand ça a quelque chose, ça ne l'dit pas. Pis y'a pas de cordeaux sur ça mais un volant, et c'est pas pour voler mais pour rouler.

— Mais c'est peut-être un voleur qui vous a roulé, le vendeur... des maquignons « snorauds », y en a partout, vous savez... Est-ce qu'elle peut au moins entrer dans ma boutique ?

— Faudrait la pousser...

On pousse, on tire, mais en vain ; finalement, on sort la jument frais ferrée de la forge, on l'attelle en avant, pour faire rouler l'engin jusqu'en dedans.

À la nuit tombante, Wildor, resté seul avec la bête de tôle, va à son âtre où le feu couve encore sous les cendres, et quand les flammes se remettent à jaillir comme un volcan en grondant sous l'effet du grand soufflet, il se sent comme au paradis. Il sifflote, heureux du défi qui se présente à lui. Il se met à scruter l'engin luisant, imberbe, figé et sans vie. Il se dit :

— Il faut que je trouve son âme ; c'est là qu'est sa vie... et sa maladie.

Il prépare ses outils et étend par terre une vieille couverture qui sert à « abrier » les chevaux en hiver ; il ouvre le capot et examine le dedans comme il faut, en se concentrant sur les jonctions, les connexions, les embranchements. Il est fasciné et émerveillé par cette nouvelle bête patentée de toutes pièces et qu'on peut reproduire identique et à volonté. Puis, quand il pense en avoir bien compris les fonctions et les circuits, de son œil de feu, il les imprime dans sa mémoire comme une photo. Puis lentement, il se met en frais de les démonter, morceau par morceau, rangeant chaque pièce en ordre sur la couverture. Il pense : « Quand je vais tomber sur son âme, j'saurai ben le sentir... »

La nuit est venue, le cœur de la bête de fer est démonté, mais Wildor, découragé, n'a pas trouvé d'âme. Il remonte lentement chaque morceau exactement à sa place. Au moment où il referme le capot, la porte de l'arrière-boutique s'ouvre. C'est Fébrénie, sa femme, la paupière lourde mais l'œil allumé. Elle lui dit :

– Wildor, veux-tu ben me dire ce que tu fabriques si tard ?

Il lui répond :

– Je cherchais son âme, mais je l'ai pas sentie nulle part. Regarde-moi donc c'te belle chose-là !

Fébrénie, les yeux ronds, reluque l'engin. Elle qui revient d'une longue journée en réunion avec son cercle de couture a déjà eu écho de la chose, car certaines couturières pendant la pause ont brodé sur le sujet : certaines pour l'avoir aperçue de loin filer à toute vitesse ; d'autres avaient vanté son luxe et sa beauté, mais toutes avaient critiqué son bruit et ses gaz empestés.

Fébrénie, dont le nez est le plus fin, est attirée vers l'arrière de la bête de tôle. Elle aperçoit la panse de fer du réservoir :

– Tu trouves pas que ça sent l'diable dans l'derrière de ça ?...

Wildor se penche et donne quelques p'tits coups de poing sur le réservoir en disant :

– Ça sonne creux...

Fébrénie réfléchit, puis en déduit :

– Ce qu'elle boit lui donne des gaz... Ça serait-y que ce serait l'essence... Voyons Will, elle n'a pas d'âme, son âme, c'est son essence, mais son essence est sans âme, et sans essence, elle n'a pas de vie. Ça peut être ça, son bobo... Mon vieux, j'pense que tu t'es « désâmé » en misère noire toute une nuit blanche pour en arriver à l'essentiel : le vide d'essence. Will, la journée est finie, viens te coucher s'il te reste assez d'essence pour te rendre au lit.

Le forgeron, devant ce constat, reste pantois ; les bras lui en tombent, mais avant, il s'essuie le front d'une main et lui répond :

– Ouais... C'est beau l'instruction...

Pas plus tard que le lendemain, on a trouvé de l'essence en bordure du village. Le remède des bêtes à moteur coulait déjà dans des pompes, funèbres pour les chevaux.

Sur le chemin du village, Wildor voyait de plus en plus de tacots passer toujours plus vite comme s'ils narguaient sa boutique, chassant à coups de criard les chevaux apeurés et dépassés ; la mort dans l'âme et le mors aux dents, ils mordaient la poussière derrière. Le soir, les yeux des bêtes de fer s'allumaient et brillaient dans la noirceur comme des yeux de chat, mais c'étaient des yeux de « char » sans vie, branchés sur une batterie. Wildor n'entendait plus comme avant descendre sur le village le silence de la brunante, et dans l'air frisquet de l'hiver, les grelots des chevaux, mais plutôt les rumeurs des moteurs, des démarreurs qui toussaient, des klaxons qui s'énervaient et des roues qui viraient dessous dans la boucane bleue des essences de l'ère nouvelle.

On aurait dit que le temps se mettait à débouler plus vite pendant que la vieille forge, elle, se désertait. Le marteau résonnait moins fort sur l'enclume et le feu dans l'âtre vivotait. De sa fenêtre, où les toiles d'araignées n'étaient plus souvent décrochées, Wildor voyait des garages, des *machine-shops* pousser comme des champignons dans le voisinage des maisons.

Le vent avait tourné car, à chaque bourrasque venant de l'ouest, il entendait le coq du clocher grincer et toussoter en virant du côté de la grande ville, et l'air dégageait en même temps une étrange odeur de souffre. C'est qu'un bon matin, il aperçut à l'autre bout du grand terrain, jusqu'alors encore vague et séparant son village de la ville voisine, une forme bizarre étendue comme une drôle de colline avec une cheminée au-dessus qui crachait dans l'air une fumée brunâtre. N'en croyant pas son nez et son œil, il a vu tout à coup la cheminée se mettre à bouger : c'était le grand cigare allumé d'un géant de l'immobilier qui fumait à son aise, allongé, en regardant changer la couleur du temps, tout en cuvant dans l'autre main un pot de vin au bouquet acide tiré de la réserve d'un ami personnel, fruit de grappes industrielles. Peu après, le géant s'est levé et a planté au beau milieu du champ un écriteau marqué : « Sold/Vendu » ; puis il s'est mis à marcher à pas mesurés et comptés en direction du village, la démarche lente dans son pantalon pressé, égrenant dans l'air la cendre et la fumée de son cigare roulé en feuilles de pâtes et papier. Le géant, en habit d'agent « pro-moteur » d'avenir, étirait sans complexes encore apparents ses bretelles de béton armé jusqu'au seuil des quartiers désarmés, escorté par une meute de béliers voraces et nouvellement mécanisés se mettant au passage sous leurs dents d'acier des pâtés de maisons « désâmées ». Le village quittait sa défroque d'étoffe et se rhabillait en nouveaux tissus urbains uniformisés. Wildor, retranché dans sa vieille forge, sentait le cœur de son village se greffer aux artères du grand centre d'à côté et ajuster ses battements aux nouveaux rythmes d'un temps en accéléré.

Wildor se retrouvait maintenant, et plus souvent qu'autrement, seul dans son antre : ses anciens amis, conteurs merveilleux du quotidien, étaient partis ; sa femme Fébrénie avait, elle aussi, quitté le monde avant lui pour aller aviver le feu dans le foyer d'un paradis inconnu ; l'époque des chevaux était révolue. Son fils, artiste, gagnait son pain dans la grande ville en forgeant sa vie dans la musique. C'était maintenant l'heure de fermer boutique et d'en placarder les vitres ; Wildor actionna une dernière fois son grand soufflet pour attiser la braise et faire un brin de chaleur, car le froid s'installait à demeure. Mais dans les flammes pointues et dansantes sortant de l'âtre sont tout à coup apparues les cornes rouges d'un petit diable triomphant et ricaneux venu hanter les lieux, attiré au village par l'air sulfureux. Il tenait dans ses griffes un parchemin qui ne prenait pas en feu. Devant le vieil artisan prêt à rendre les armes, il lui souffla tout feu tout flamme :

— Vends, vends, pendant qu'il est encore temps ! Vends-moi ton âme, c'est le bon moment ; je vais négocier tout ça pour toi ! C'est quand on spécule qu'on fait des pécules, le vieux ! J'ai fait les plans, je vais en faire un bel emplacement pour une future chaîne de restaurants, un grand stationnement, et pourquoi pas, dans un avenir certain, ce qu'on appellera un centre d'achats, et cetera... ra...rat !

Le pauvre Wildor était sur le point de mettre sa croix en bas du contrat quand, tout à coup, il a eu l'impression d'entendre le vieux coq rouillé du clocher lancer un soubresaut de cocorico imitant une boutade jadis entendue, dans son jeune temps : « Un jour, je te souhaite d'en faire autant ! »

Le vieil artisan n'a pas baissé les bras et, de ses grosses mains cornées, a empoigné par les cornes le petit diable à l'allure visqueuse pour le lancer dans le tonneau d'eau ferreuse servant à refroidir le fer chauffé. On disait de cette eau qu'elle était magique : le p'tit diable râlait et s'y débattait comme dans de l'eau bénite. Wildor, l'âme en paix, décida que sa dernière œuvre était arrivée et qu'il fallait la signer. Du grand coffre de bric-à-brac empoussiéré sous l'établi, il sortit d'abord un petit soufflet ; son père lui en avait fait présent quand il était enfant pour l'initier au métier ; il l'avait toujours gardé pour le prêter aux jeunes venant fureter dans sa forge, fascinés par la magie du feu et du lieu. Il l'a regardé un moment en jonglant à une idée traversée d'une pensée pour son fils. La passion du démontage et du patentage l'avait repris : il a défait le petit soufflet, puis il a pris le siège d'un vieux buggy sur lequel Fébrénie s'était si souvent assise en belle saison : le bel érable piqué y était devenu doux comme la soie de ses jupons. Il le scia en deux morceaux avec une scie qui ne demandait pas mieux que de brosser ses dents dans du bois franc. Il sortit du grand coffre des belles lamelles d'acier qu'il avait toujours conservées : c'étaient celles des baleines du corset de Fébrénie. Il les a coupées en dix parties, les a martelées, les a limées. Les lamelles du corset sont devenues des anches fines et résonnantes de musique qu'il vissa aux deux pièces de bois d'érable remontées de chaque côté du petit soufflet qui s'est mis à s'étirer de nouveau et à respirer comme une âme qui renaît. Il en sortit une musique si entraînante et joyeuse qu'elle réveilla les vieux compagnons de vie du forgeron : ses machines endormies et ses outils accrochés sur les murs autour de lui. Au rythme de la cadence, ils entrèrent en transe sur les sons de cet instrument patenté qui résonnait dans l'air, forts et légers comme s'ils sortaient d'un accordéon Messervier ! Dans un coin, même les liasses de crins ébouriffés du vieux cheval de bois de son fils se sont faits archet sur la branche d'un fouet pour dépoussiérer et ressusciter le violon de Fébrénie, exposé dans le grand coffre en pin. Les cordes du violon se sont mises à vibrer et à accompagner ce drôle d'accordéon. Sur les murs, les masses et les maillets étaient complètement marteaux et cognaient en rythme sur le tonneau ; les rabots et les vastringues swingnaient comme dans un bastringue, les cisailles et les tenailles se serraient la pince, heureuses de se dérouiller !

Le vieil artisan, fier de sa dernière veillée, a « callé » à ses outils :

Allez, compagnons, swingnez ma compagnie !

On est encore en vie !

J'étais artisan de la belle ouvrage,

Vous en serez un témoignage... !

Dehors, le géant de l'immobilier s'était immobilisé et les béliers étaient à la renverse, effrayés par la musique magique sortant de ce lieu antique. Dans le fond du tonneau en fer, un clou rouillé et crochu disparut, comme un diable vaincu par plus fort que lui !

Photo: Inconnu; Source: Lyson Chagnon

Aurélien Jomphe, lors d'un spectacle bénéfice pour le Parti Rhinocéros, au début des années 1980.
«Qui était donc cet homme, le menton soudé au violon?...»

LE VIOLON D'AURÉLIEN

Un bon soir, le diable descendu sur terre
à la chasse à l'âme en peine
se retrouve par pur hasard
au-dessus des Îles-de-la-Madeleine.
Il regarde au sud, il regarde au nord : rien.
Il regarde à l'est, il regarde à l'ouest :
rien que la mer, que de l'eau,
pas âme qui vive, rien qui bouge.
Il regarde en haut : que le maudit ciel.
Il regarde en bas :
deux pieds trois pouces en dessous de ses sabots,
il voit la croix de l'église de Fatima ;
comme il a horreur des croix, des cloches
et surtout de Fatima,
il se laisse planer songeur vers la dune
en voyant un banc de maquereaux.
Puis, fatigué de son voyage,
il se dit que même le diable
a bien le droit de se reposer.
Belzébuth, assis sur une butte,
jouant le touriste incognito,
entend, venant du fond du bar *Chez Gaspard,*

un son de violon qui a l'air de faire des étincelles
et de brûler des semelles
dans un boucan d'arcanson !
Qui osait ainsi déranger le Prince des Ténèbres
d'un sol, d'un ré, d'un la, pis d'une chanterelle ?
Jamais de mémoire de démon,
depuis que le bon Dieu avait abandonné sa création,
il n'avait entendu si beau mariage de sons
entre le crin et l'acier
entre l'animal et le métal.
Personne ne pouvait jouer de cette façon
sans être possédé... du démon !

Il lui fallait cette âme.
Qui était donc cet homme
le menton soudé au violon
piaffant du talon comme un étalon
les yeux fermés en transe
avec un pouvoir si grand
que, dans la salle de danse,
on n'avait d'ouïe,
on n'avait d'yeux que pour lui !
Tout le monde l'air pendu à son archet
semblait condamné en file au gibet
prêt à faire le grand saut.

C'était l'homme qui jouait du violon ?
Ou le violon qui jouait de l'homme... ?
L'archet baguette magique
faisait de ce duo infernal
un seul instrument de chair, de bois, de sueur
et de sang.

Aux premières mesures du *Reel du diable,*
en parlant de la bête, on y a aperçu la tête,
Belzébuth est entré dans le bar
en coup de vent du nord
et, c'est l'cas de le dire,
tout le monde est resté gelé sur place.
À mesure qu'il avançait sur la piste de danse,
il laissait sur les planches de bois franc usé
des pistes comme marquées au fer rougi
de sabots de bouc étampés.
Il s'est planté devant le « stage », pis y'a dit :
« Who the hell are you? »
Parce qu'il se pensait aux États-Unis.
« Where did you learn to play the fiddle so well,
mon bel ami ?
You're just as good as me! Goddam... »
Il se croyait aux U.S.A. en Louisiane...

Aurélien, pas énervé, même pas surpris,
lui a répondu dans son accent ben à lui :
« Premièrement, mon homme, chu pas ton chum,
deuxièmement, beau parleur,
si tu joues aussi ben du violon
que t'es jaseur,
ben, tire-toi une chaise, pis fais-nous peur !
Troisièmement, c'est pas de mes affaires,
mais si t'es pas content,
t'as l'air du diable, ça fait que r'tourne en enfer,
pis sacre ton camp. »
Le diable est venu rouge... comme le diable.
C'est là qu'il a ajouté :
« Jette un œil dans les esses de ton violon,
pauvre mortel !
Tu y verras gravé le nombre de la bête,
le chiffre 666.
Sache que ce trésor de maître
que tu tiens dans tes mains de rustre
est l'œuvre d'Antonio... euh... Strad...divarius.
C'est le premier violon des onze cents
qu'il a fabriqués.
Il avait 22 ans quand en 1666, à Crémone,
je lui ai donné la recette secrète d'un vernis magique
fait à base du mélange savant du sang

et de l'eau de toilette *Charnel n° 6*
d'une belle démone
qui allait donner à ses instruments
leur couleur unique et une sonorité inégalée
à travers le temps !
Comme moi, Belzébuth, je ne donne jamais rien
pour rien,
The Great Antonio euh...Stradivarius
signa de son sang
un pacte stipulant
qu'à partir de cet instant
chaque musicien, à part lui,
qui jouerait sur ce violon maudit
rendrait son âme au diable,
deviendrait le fidèle sujet de mon « boss » Lucifer
et brûlerait pour l'éternité dans les feux de l'enfer !
Et comme a dit un certain mortel nommé Allen,
Woody de son prénon :
L'éternité, c'est très très long...
surtout vers la fin...
Le maléfice ne serait levé
qu'avec la mort du 666e musicien... »

Alors, dans un rictus infernal,
Belzébuth siffla à Aurélien :

« T'es le 666e, t'as pas de veine... »
« Woo ! Mon sang coule encore dans les miennes !
lui a répondu Aurélien.
Prends ça mou, le yankee pyromane,
écoute-moi ben, le tison braisé,
je te propose queuqu'chose entre toé pis moé :
mon chum Bertrand va te passer son violon,
on va s'asseoir l'un à côté d'l'autre,
pis à minuit, on va commencer
à "zigner", pis à "reeler" ;
si t'arrêtes de jouer avant moé, le charbon rissolé,
ben tu l'as direct dans l'trou de ton "went-a-go" !
Si tu sais pas où c'est, j'peux t'en indiquer l'entrée
avec le bout de mon pied...
À partir de là, tu débarques de l'estrade,
tu me laisses mon âme pis mon "Strad"
pis tu r'tournes méphisto-presto d'où c'que tu viens !
Saisis-tu mon propos ? L'attisé d'écopeaux ! »

Belzébuth aimait jouer gros.
Après tout, c'est lui qui avait eu le premier
l'idée des lotos et des casinos.
Il cherchait les défis,
surtout quand il était sûr de les gagner.
Il n'a fait ni un ni deux,

il a regardé Aurélien dans le blanc des yeux,
pis il lui a dit : « Fais ta prière, le "youdleu",
attache ta tuque pis boutonne ton "coat",
ta dernière soirée va commencer ! »

Assis sur deux chaises droites côte à côte,
l'un en sabots de bouc et l'autre en souliers ferrés,
Satan et Aurélien à minuit tapant
ont commencé à frotter une suite de « meddly »
dont on se souviendrait longtemps :
des gigues, des two-steps, des bourrées,
L'oiseau moqueur jusqu'*Aux quatre coins de Saint-Malo,*
de *Zorba* à *La danse des canards,*
en passant par *Stairway to haven*
pis *Fermez les honkey-tonk.*
Ni l'un ne molissait du jarret,
ni l'autre du mollet,
ni les deux de l'archet !

À quatre heures du matin,
Hubert Arsenault, le propriétaire,
a sorti de derrière son bar, y'a « flashé » les lumières,
pis il a crié aux deux musiciens
pis aux spectateurs soudés sur leurs chaises :
« Hey ! Ciboire ! J'ai pas envie de perdre ma licence !

Ça fait qu'allez faire le diable dehors ! »

Les deux violoneux, sans arrêter la partie,
ont enligné la sortie ;
la foule de pêcheurs et de bons vivants,
saoulée de reels pis de bières,
s'est levée d'un seul élan
pour s'engouffrer dans la porte d'en avant,
derrière le duo d'enfer !
Les pêcheurs ne lèveraient pas
de cages à homard ce matin-là,
c'est peut-être pour ça que le soleil avait l'air gêné,
en tout cas, il rougissait
comme un homard ébouillanté.

Rendus dehors sur le perron,
en face de la Baie-de-Plaisance,
les deux joueurs en cadence
tiraient du poignet avec leur archet
sur la table de leur violon,
en cassant du crin d'jument.
On aurait dit deux cavaliers fous
cravachant leurs montures au sang
dans un rodéo dément !

Aurélien, qui commençait à fatiguer,
s'est dit qu'il serait mieux assis.
Ça fait qu'il a invité le Charlot
à aller s'asseoir avec lui
sur le siège arrière de sa Pontiac 1966
convertible bleu poudre,
en lui faisant signe de son archet
et en continuant de jouer en pizzicato
une valse en do.
Il a dit à Bertrand Desraspe :
« Prends la roue, pis fais-nous faire un tour ! »
Le diable a dit : « C'est pas utile... »
Pis, en disant ça, la Pontiac est partie
sur les p'tites heures,
en faisant crier ses « tires » !
Vous voyez le portrait :
deux violoneux assis sur le siège arrière
d'une « minoune » décapotable bleu poudre,
qui jouent, pis qui jouent, pis qui jouent
au coude à coude
pis le char qui file à 200 à l'heure
sans conducteur vers la Pointe-aux-Loups !
On ne les a plus jamais revus dans l'bout.

Mais oui, j'y pense, le dernier à les avoir vus,
c'est Tancrède,
Tancrède-à-Ti-Mé-à-Chose-à-Odilon,
c'te jour-là, y'a arrêté de boire pour de bon...
Il reste à Grosse-Île.
Il a dit que ce samedi matin-là,
en buvant tranquillement
sa première grosse « Mol » de la journée,
assis sur le quai,
il a vu de ses yeux vu passer
une Pontiac convertible bleu poudre 1966
pas de chauffeur,
avec deux gars qui jouaient du violon
assis sur le siège d'en arrière.
Jusque-là, c'est pas pire ;
mais arrivé au bout du « boutt » de la route
ousque c'est marqué : *fin, Dead End,*
le char s'est envolé avec l'élégance
d'un goéland qui décolle face au vent,
il a fait un grand tour, il a passé au-dessus du quai,
puis il est parti nord-nord-ouest,
en direction de la Gaspésie.
Tancrède a dit que tout d'un coup dans l'lointain,
y'avait plus rien qu'un violon qui jouait,
c'était *Orange Blosson, le reel du train,*

pis qu'ça sonnait comme Aurélien...
L'histoire que je vous conte ici
est arrivée au début de juin 1986.
Cette même fin de semaine
de la disparition de la Pontiac volante,
la flèche pis le coq de l'église
de Sainte-Thérèse-de-Gaspé
s'étaient mystérieusement envolés.
Un trappeur des environs,
attiré en pleine forêt par des sons de violon,
s'est dit : « J'veux ben croire qu'un érable,
ça peut être un violon en puissance...
mais tabarnance !... »
Ben, il a découvert dans une boûillée d'érables
et d'sapins
une vieille Pontiac convertible bleu poudre 1966,
pis, comme à des kilomètres à la ronde,
il n'y avait pas d'chemin,
il fallait qu'elle soit tombée du ciel.
Plantée dans la banquette arrière
y'avait une flèche en fer
qui transperçait la cuirette.
Comme avait dit Aurélien,
le diable l'avait eu drette
dans l'trou de son « went-a-go »...

Et en-dessous de la vieille auto,
on a retrouvé le coq de l'église de
Sainte-Thérèse-de-Gaspé
couché sur le côté
dans un tapis de têtes de violon.

Et Aurélien ? Aurélien Jomphe, violoneux céleste,
on l'a plus jamais revu en vie, depuis ce mois
du 06/86.
Mais aux Îles-de-la-Madeleine
et dans la Baie-des-Chaleurs,
c'est loin d'être une histoire triste
parce qu'on sait qu'il joue encore du
violon quelque part,
et qu'il ne s'arrêtera plus jamais de jouer !
Pis, pour lui, l'éternité,
eh ben, hélas ! c'est comme la vie,
ça va être encore trop vite passé.

[Adaptation d'un conte de Gilles Bélanger.]

DANS *ROCKET* : MOTS ET EXPRESSIONS SE RAPPORTANT AU HOCKEY

Cerbère : synonyme de « gardien de but » au hockey.

Coupe Stanley : trophée conférant à l'équipe championne des séries éliminatoires de la Ligue nationale la suprématie du hockey professionnel en Amérique du Nord.

Éclaireur : celui qui découvre de nouveaux hockeyeurs.

Faire déborder par derrière : se faire prendre à contre-pied par l'équipe adverse qui troue les défensives de son équipe.

Faire le tour du chapeau : se dit en parlant du joueur qui compte trois buts dans une même partie.

Faire prendre une tasse de café : mystifier et contourner un défenseur adverse par des feintes habiles.

Gagner ses épaulettes : réussir un bon coup ou un exploit.

Gouret : premier nom français donné au jeu de hockey [jeu de gouret] ou au bâton de hockey [un gouret] ; abandonné au profit du mot « hockey ».

Joliat (Aurèle) : premier joueur francophone important dans l'histoire des Canadiens de Montréal (cf. dans le conte « Aurèle Goliath »).

Mêlée générale : lorsque les joueurs des deux équipes se mettent à se batailler après un hors-jeu.

Sainte flanelle : surnom populaire de l'équipe des Canadiens de Montréal (autre surnom : les Habitants ou *Habs* en anglais).

Se replier à l'attaque : se regrouper dans sa zone pour mieux préparer une montée chez l'adversaire.

Tricoter : manier la rondelle avec habileté et contrôle.

Snapper : lancer la rondelle d'un coup frappé avec la palette du bâton de hockey.

LEXIQUE GÉNÉRAL

Abrier : couvrir, recouvrir d'une couverture, par exemple (cf. *Wildor le forgeron*).

Achalant : embêtant, enquiquinant, qui ennuie, qui dérange (cf. *Désirée*).

Adon : pertinence ; coïncidence, hasard (cf. *Mot du raconteur* et *Alexis le Trotteur*).

Bacagnole : traîneau à patins en bois dont on se servait pour le transport des provisions dans les exploitations forestières (cf. *Wildor le forgeron*).

Bacon : argent, fric (cf. Désirée).

Baloune : plusieurs sens possibles ; ici : rêve, illusion ou beuverie, fête (cf. *Blues Au bout du Quai*).

Beans (ou bines) : fèves au lard, haricots blancs [emprunté directement à l'anglais] (cf. *Alexis le Trotteur*).

Berlot : voiture d'hiver tirée par des chevaux, montée sur des patins et ayant un siège à l'avant et un à l'arrière (cf. *Wildor le forgeron*).

Beu(s) : prononciation populaire pour «bœuf(s) » (cf. *Désirée*).

Big shot : gros bonnet [emprunté directement à l'anglais] (cf. *Désirée*).

Boss : patron, chef d'équipe [emprunté directement à l'anglais] (cf. *Le violon d'Aurélien*).

Boucane : fumée (cf. *Wildor le forgeron*).

Bouillée : bouquet d'arbres (cf. *Le violon d'Aurélien*).

Broue : mousse, écume ; péter de la broue : en jeter plein la vue, faire de l'esbroufe (cf. *Désirée*).

Bucker : s'entêter, refuser d'obéir (cf. *Wildor le forgeron*).

Buggy : sorte de petit cabriolet découvert (cf. *Wildor le forgeron*).

Buttereau : butte de sable typique des Îles-de-la-Madeleine (cf. *Ahmadou*).

Caller : [une danse, un set carré] diriger la danse, donner les indications des figures (cf. *Wildor le forgeron*).

Casseux de veillée : trouble-fête, personne qui part avant la fin de la soirée (cf. *Désirée*).

Centre d'achats : centre commercial [emprunté directement à l'anglais : « shopping center »] (cf. *Wildor le forgeron*).

Char : voiture, automobile, bagnole (cf. *Le violon d'Aurélien* et *Wildor le forgeron*).

Chiard : fricassée de pommes de terre et de lard (cf. *Rocket*).

Coltailler : se chamailler gentiment (cf. *Mot du raconteur*).

Coudon : dis donc [déformation de « écoute donc »] (cf. *Alexis le Trotteur*).

Craque : fêlure, craquelure (cf. *Alexis le Trotteur*).

Cré : abréviation de « sacré », précédant le prénom d'une personne (cf. *Alexis le Trotteur*).

Croche : courbe accentuée sur une route (cf. *Alexis le Trotteur*).

Décoller : partir de chez soi, d'un endroit quelconque (cf. *Rocket*).

Délicher (se) : se lécher, se pourlécher les babines (cf. *Rocket*).

Désâmé : sans âme (cf. *Wildor le forgeron*).

Désâmer (se) : s'évertuer, s'échiner, se décarcasser (cf. *Wildor le forgeron*).

Dret, drette : droit, droite (cf. *Rocket*).

Drette (dans) : juste, en plein dedans (cf. *Le violon d'Aurélien*).

Endormitoire : endormissement (cf. *Désirée*).

Enfarger (s') : trébucher (cf. *Désirée*).

Faubourg-à-m'lasse : faubourg pauvre de Montréal (quartier Sainte-Marie) où l'on débarquait la mélasse dans les années 1880 [synonyme de faubourg pauvre] (cf. *Rocket*).

flasher : faire clignoter [emprunté directement à l'anglais] (cf. *Le violon d'Aurélien*).

flow : jeune enfant, gamin [emprunté directement à l'anglais : « a fellow » = a *boy* (cf. *Rocket*).

Frette : froid (cf. *Rocket*).

Fricoter : apprêter un met (cf. *Rocket*).

Gaspésienne : embarcation de pêche de forme typique à la Gaspésie (cf. *Désirée*).

Grondeuse : air de violon propre à la gigue (cf. *Désirée*).

Giguer : danser la gigue [puisé au vieux français] (cf. *Désirée*).

Gosser : sculpter, plus souvent au canif qu'à la gouge (cf. *Mot du raconteur*).

Gros chars (les) : le train au complet [locomotive et wagons] (cf. *Alexis le Trotteur*).

Hot-dog steamé : petit pain réchauffé à la vapeur, contenant une saucisse de Francfort [emprunté directement à l'anglais] (cf. *Rocket*).

Huard : nom donné à la pièce de un dollar canadien (cf. *Désirée*).

Icitte : prononciation populaire pour « ici » (cf. *Désirée*).

Jackpot : gros lot [emprunté directement à l'anglais] (cf. *Désirée*).

Joual : cheval (cf. *Wildor le forgeron*).

Jouquer (se) : se jucher, se percher (cf. *Wildor le forgeron*).

Machine-shop : atelier de réparation [expression anglaise] (cf. *Wildor le forgeron*).

Menoire : pièce de bois fixée à une voiture, à laquelle on attache les chevaux (cf. *Wildor le forgeron*).

Minoune : vieille voiture, vieux tacot (cf. *Le violon d'Aurélien*).

Mol : abréviation de Molson, nom déposé d'une marque de bière (cf. *Le violon d'Aurélien*).

Ousque : langue parlée populaire pour « là où » (cf. *Le violon d'Aurélien*).

Packsack : sac de toile fixé dans le dos avec des bretelles, sac à dos [emprunté directement à l'anglais] (cf. *Désirée*).

Pantoute : pas du tout, plus du tout (cf. *Wildor le forgeron*).

Parlure : manière de parler, de s'exprimer (cf. *Mot du raconteur*).

Patant : [cuir] verni et très brillant (cf. *Wildor le forgeron*).

Patate : frite (cf. *Rocket*).

Patenté : inventé, fait avec les moyens du bord [emprunté directement à l'anglais] (cf. *Wildor le forgeron*).

Placoter : parler de la pluie et du beau temps (cf. *Désirée*).

Pogner : attraper (cf. *Désirée*).

Reel : genre de musique d'origine écossaise [emprunté directement à l'anglais] (cf. *Désirée* et *Le violon d'Aurélien*).

Sacrant : [au plus] vite (cf. *Rocket*).

Sans-dessein : se dit d'une personne démunie de bon sens, peu réfléchie (cf. *Rocket*).

Six-pack : carton de six bières [emprunté directement à l'anglais] (cf. *Désirée*).

Sleigh : traîneau, voiture à cheval montée sur des patins élevés, servant en hiver au transport des personnes ou des marchandises (cf. *Wildor le forgeron*).

Snoraud : [en parlant d'un adulte] bougre, fanfaron (cf. *Wildor le forgeron*).

Stage : scène, estrade [emprunté directement à l'anglais] (cf. *Le violon d'Aurélien*).

Steppette(s) : pas de danse, petite gigue (cf. *Alexis le Trotteur* et *Désirée*).

Swingner : faire tourner en dansant [emprunté directement à l'anglais] (cf. *Désirée* et *Wildor le forgeron*).

Tabarnance ! : juron atténué, l'une des variantes de « tabernacle » (cf. *Le violon d'Aurélien*).

Tanné (être) : en avoir marre, en avoir plein le dos [puisé à l'ancien français] (cf. *Blues Au bout du Quai*).

Thumberjack : pelle mécanique [emprunté directement à l'anglais] (cf. *Désirée*).

Tire(s) : pneu(s) d'une voiture [emprunté directement à l'anglais] (cf. *Le violon d'Aurélien*).

Track : voie ferrée [emprunté directement à l'anglais] (cf. *Alexis le Trotteur*).

Train : [faire du] bruit, vacarme (cf. *Rocket*).

Verrat (en) : [sorte de juron] beaucoup, véritablement (cf. *Rocket*).

Vastringues : instrument de menuiserie servant à raboter (cf. *Wildor le forgeron*).

Vue : film ; ou encore : « aller aux vues » = aller au cinéma [anciennes expressions québécoises] (cf. *Alexis le Trotteur*).

Waggine : voiture, chariot tiré par un ou des chevaux [emprunté directement à l'anglais : « wagon »] (cf. *Wildor le forgeron*).

Watch out : fais attention [emprunté directement à l'anglais] (cf. *Alexis le Trotteur*).

Wô bec : cri pour faire arrêter les chevaux [calque de l'anglais « whoa back »] (cf. *Alexis le Trotteur*).

[Principale source bibliographique pour la réalisation du lexique général : Meney, Lionel. *Dictionnaire québécois français*, Montréal, Guérin éditeur, 1999, 1884 p.]

Photo : Stéphane Morency

Le conteur et les musiciens pendant une pause au cours de l’enregistrement du CD au studio Karisma Audio. De gauche à droite, Mario Giroux, Jocelyn Bérubé, Vincent Beaulne et Pierre Laurendeau.

Achevé d'imprimer
en août deux mille trois, sur les presses
de l'Imprimerie Gauvin, Hull, Québec